Retratos*

---

* A colecção Retratos da Fundação
traz aos leitores um olhar próximo
sobre a realidade do país. Portugal
contado e vivido, narrado por quem
o viu — e vê — de perto.

Esquadra de polícia

Susana Durão

FUNDAÇÃO
FRANCISCO MANUEL dos SANTOS

FUNDAÇÃO
FRANCISCO MANUEL dos SANTOS

Largo Monterroio Mascarenhas, n.º1, 8.º piso
1099-081 Lisboa
Telf: 21 001 58 00
ffms@ffms.pt

Director de publicações: António Araújo
Título: Esquadra de polícia
Autor: Susana Durão
Revisão de texto: Joana Vicente Pinto
Design: Inês Sena
Paginação: Guidesign
Impressão e acabamento: Guide – Artes Gráficas

© Fundação Francisco Manuel dos Santos e Susana Durão
Janeiro de 2016

ISBN: 978-989-8819-25-3
Depósito Legal n.º 402537/15

Introdução

Durante muitos anos acompanhei, conversando, rindo, enquanto refletia sobre a atividade de vários agentes, chefes e oficiais de polícia. Muitas vezes também os critiquei. No início do milénio, a polícia era um mundo desconhecido em Portugal. Sabíamos alguma coisa através dos jornais. Começavam a ser promovidas campanhas modestas de prevenção e um titubeante *marketing* institucional. Mas do seu funcionamento, nada. Decidi que, entre 2004 e 2005, permaneceria longamente numa única esquadra, a 24ª, situada em Campo de Ourique, circulando dali para outras, até conhecer de cor o vocabulário e os imaginários do policiamento, o que lhes dava sentido e o seu enraizamento nas ruas da cidade. Mergulhar nos ambientes profissionais e familiares destas pessoas foi meio caminho andado para vir a escrever literatura científica. Uma esquadra é, e será sempre, um projeto de policiamento urbano. Mas para mim, e seguramente para os agentes, ela é também um lugar de sequências de situações vividas. É na relação com a cidade e com as pessoas que ela faz sentido. Desde então, não mais cessou o meu interesse pelo policiamento e, com base nele, projetei múltiplas pesquisas sobre temas correlacionados: a história da polícia em Portugal, o estatuto das mulheres na polícia, o policiamento da violência doméstica e a cooperação portuguesa para a formação de oficiais de países lusófonos africanos e no Brasil. Visitei esquadras de norte a sul do país. Perdi já o número de entrevistas gravadas a agentes, chefes, oficiais, cadetes, aspirantes e outros técnicos deste mundo. A abertura e o apoio que recebi de várias pessoas na Polícia de Segurança Pública foram cruciais para a condução do meu trabalho, bem como a tolerância dos cidadãos que, quando eram avisados sobre as intenções da pesquisa, nunca se opuseram à minha presença no momento em que eram abordados pelos polícias.

Em janeiro de 2013 abandonaria o meu país rumo a uma carreira académica em São Paulo, no Departamento de Antropologia da Universidade Estadual de Campinas (UNICAMP). O meu último adeus passou, também, pelo culminar de um percurso que me envolveu em trocas constantes com os mais diversos polícias. Foi preciso ritualizar o fim. Num almoço com oficiais da PSP, esses que fui conhecendo cada dia melhor desde 2001, receberia o master-símbolo da instituição. Seria presenteada com uma estatueta em cristal de S. Miguel Arcanjo, patrono da instituição, homólogo de S. Jorge, que tantos devotos tem no Brasil, e figura que, com maior ou menor solenidade, é lembrada nos comandos metropolitanos e distritais em Portugal no dia litúrgico de 29 de setembro. Alguns dias depois almoçaria com um amigo querido, um dos chefes que mais lutou pelo policiamento de proximidade em Portugal, e aquele com quem mais conversei sobre polícia ao longo dos anos. Nunca pude despedir-me, um a um, de todos os agentes que conheci. Felizmente sou amiga de vários deles no Facebook. Assim podemos continuar a trocar palavras encorajadoras e críticas à distância. O que eu não sabia era que o destino me reservava escrever uma reportagem sobre esse tempo passado nas esquadras.

Por fim, lembro que as diversas pesquisas que estão na base deste livro foram suportadas pela Fundação para a Ciência e a Tecnologia. Partes do texto são retiradas do meu livro "*Patrulha e Proximidade. Uma Etnografia da Polícia em Lisboa*", publicado pela Almedina em 2008. Esta reportagem não teria sido concebida sem o incentivo e apoio do António Araújo, de uma compreensão e profissionalismo a toda a prova. Num país pequeno onde todos se conhecem, recorro a pseudónimos de modo a preservar a identidade dos envolvidos, não por não merecerem ser nomeados, mas porque a intimidade e a força das palavras que trocámos poderiam comprometê-los.

Esquadra de polícia

Uma esquadra é...

A primeira vez que pisei uma esquadra de polícia foi na condição de pesquisadora em antropologia e estudante de doutoramento no ISCTE-IUL. Ali entrei para entrevistar um comandante, com hora previamente marcada pelo pessoal do então incipiente Gabinete de Comunicação e Relações Públicas da Direção Nacional (DN) da Polícia de Segurança Pública (PSP). Corria o mês de maio no ano de 2001 e, desde então, interesso-me por estes homens e mulheres que fardam de azul. Passei por um estreito e soturno corredor até chegar à sala onde me aguardava esta autoridade local na esquadra da Praça da Alegria, também em pleno coração de Lisboa. Guardo na memória a face do subcomissário Borges, um homem encorpado de cabelos grisalhos, perto dos 60 anos e com acentuado sotaque nortenho. Como muitos dos que viria a conhecer, era da região de Viseu. Falámos fundamentalmente do policiamento diurno e noturno, da gestão e vidas dos agentes e chefes. Não recordo detalhes do espaço de receção e atendimento aos cidadãos, mas sei hoje que, como a maioria das esquadras, mesmo as mais antigas integradas no tecido urbano existente, também esta sofreu importantes remodelações no sentido de se fazer parecer mais transparente e acessível ao comum dos cidadãos.

Segundo os agentes, embora estas unidades policiais de bairro raramente atinjam as condições materiais desejáveis do ponto de vista operacional e do bem-estar no trabalho, os anos 1990 marcariam uma viragem, encontrando-nos já muito longe das descrições insalubres dos anos 30. Numa rara e rica monografia sobre as esquadras de Lisboa, intitulada *Subsídios para a História da Localização das Esquadras da Polícia de Lisboa*, pode ler-se num trecho referente a 1932: *"As instalações da Esquadra da Rua dos Capelistas eram no seu todo apenas um pequeno e único compartimento, mesquinhamente dividido por um sórdido tabique de madeira, e onde uma afamada e destemida legião de vorazes ratazanas campeava impune, fazendo verdadeiras sortidas a todas as pequenas dependências, indiferentes em absoluto à presença do pessoal e procurando afoitamente qualquer resto de comida".*

As esquadras eram na altura, se é que não vêm sendo desde a transição do último quartel do século XIX com a institucionalização desta corporação, as unidades mais conhecidas de toda a PSP. É difícil dizer ao certo quantas destas unidades de policiamento genérico funcionam hoje no país. Se algumas fecham por falta de condições, ou razão de existência, outras são criadas em áreas que entretanto foram sendo urbanizadas. O policiamento tende a acompanhar a demografia e as políticas de governo e de cidade, mas os critérios para a criação destas unidades de polícia nunca foram uniformes. Para fazer uma proposta ao Ministério da Administração Interna (MAI), a DN da PSP tem de conhecer, antes de mais, o património imobiliário da corporação, ou a ela cedido por organizações públicas, privadas ou mecenas. A decisão de criar uma esquadra ou uma divisão nas regiões urbanas requer um estudo aprofundado. Mas a verdade é que este pesará tanto na decisão do ministro como as pressões locais, a receção e a motivação política para responder a tais pressões e, evidentemente, os calendários eleitorais e a avaliação de popularidade do governo. Em bairros no centro da cidade, a população começa a escassear e a envelhecer. Torna-se, assim, mais improvável encontrar nesses lugares esquadras criadas de raiz.

Ao contrário do que acontece com um hospital, um centro de saúde, uma repartição de finanças ou uma loja do cidadão, é natural que pessoas que viveram quase toda a sua existência no período democrático, desconheçam estes espaços, seja por falta de necessidade ou de contato direto. Pessoalmente, nunca tive queixas nem concretizei uma denúncia, não conheci razões objetivas para chamar a polícia nem tive problemas com a autoridade. É possível que se reveja nesta descrição, leitora ou leitor deste livro, pois é comum para muitos residentes dos bairros centrais da cidade de Lisboa (experiência seguramente diferente para quem vive em bairros pobres, periféricos ou de migrantes) e com rotinas marcadas entre a casa e o trabalho, interagir com a polícia apenas em situações pontuais: com agentes no trânsito, numa operação *stop* ou em situação de estacionamento irregular. Mais do que isso, significaria entrar em zonas de conflito, onde pessoas e bens se confundem. Podemos passar muitos anos em contato visual com os agentes que povoam os universos das esquadras, mas sem precisar de entrar numa delas.

Portugal é um lugar seguro? O Relatório Anual de Segurança Interna (RASI) de 2014 apresenta dados que, salvo algumas exceções, mostram uma tendência decrescente da criminalidade participada aos órgãos de polícia criminal. Durante a década de 2000, este tipo de avaliações anuais promoviam a ideia de um país tranquilo e com escasso crime participado às forças de segurança. Os RASI mais recentes não se fixam apenas na criminalidade nacional, vão apontando já outros fluxos transnacionais mais complexos. Em todo o caso, embora faltem análises regulares de perceção da vitimação por parte da população, é perpetuada a ideia de uma baixa intensidade criminal urbana que ajuda a vender ao exterior e aos turistas a imagem de um país ensolarado, amistoso e, acima de tudo, com o espaço público seguro – "Lisbon, a safer place" como diz o folheto de apresentação das campanhas Verão Seguro da PSP de 2014.

No meu caso, tudo começou com um projeto de pesquisa científica intitulado "De casa para o trabalho", que decorreu entre 2000 e 2003 no âmbito do então Centro de Estudos de Antropologia Social (hoje Centro em Rede de Investigação em Antropologia), com coordenação de Graça Índias Cordeiro. Ambicionávamos conhecer os processos de reorientação do policiamento para a democracia, o papel das chefias e das mulheres na polícia. Muitas e ardilosas negociações com vários diretores nacionais da PSP e autoridades de governo do MAI, tiveram origem nesse ano de 2001. Em 2004 conseguiria, finalmente, penetrar no mundo das esquadras lisboetas para ali permanecer durante doze meses consecutivos e vir a escrever uma tese de doutoramento e um livro sobre elas. Desde então, eu deixaria de ser a entrevistadora para passar a ser aquela que fica para observar e participar no quotidiano de trabalho dos profissionais da segurança pública. A partir daí não mais cessaria o meu interesse por tudo o que envolve o policiamento em Portugal e no mundo. Vários projetos coletivos e financiados se seguiriam a este.[1]

A esquadra de Campo de Ourique (a 24ª), situada na zona ocidental de Lisboa, foi onde mais tempo passei. Ali conheci e acompanhei de perto as atividades de agentes, chefes e comandantes oriundos de todos os cantos do país. Esta unidade situa-se numa rua em

---

[1] Os projetos mais relevantes que coordenei em Portugal foram: "Mulheres nas Esquadras: Crime Violento e Relações de Género" (FCT, PIHM/VG/0131/2008 Área: Violência de género), entre 2009 e 2012; "Polícia Urbana em Portugal: História da Polícia e Histórias de Polícias, 1860-1960" (FCT, PTDC/HIS-HIS/115531/2009), entre 2011-2014; "COPP-LAB: Circulações de Polícias em Portugal, África Lusófona e Brasil/COPP-LAB" (FCT, PTDC /IVC-ANT/5314/2012), entre 2012-2015. Ver website: copp-lab.org.

frente à igreja neogótica dos anos 50, construída em pleno Estado Novo em honra ao Condestável D. Nuno Álvares Pereira (1360-1431). Do exterior identificamo-la quando nos deparamos com um mural em azulejo com a insígnia do Comando Metropolitano de Lisboa. Nas datas celebrativas que povoam o calendário da instituição – como o 11 de Março, dia do referido Comando –, é hasteada a bandeira da República Portuguesa. Em 2005 assistiria ao ritual simples desse ato, dirigido pelo comandante e desempenhado pelo chefe e pelos oito agentes do grupo em serviço. Embora marcado pela ordem unida, o corpo em sentido, as coordenadas continências, o aprumo das fardas, as mãos atrás das costas, pernas ligeiramente abertas e o olhar frontal num ponto fixo, os gestos dos agentes da autoridade não articulam já a austeridade militarista de outros tempos, do tempo do Estado Novo. O à-vontade e presença juvenil dos agentes faz adivinhar um novo tom civilista no policiamento. Foi preciso rejuvenescer o ambiente. Lembro-me de, numa entrevista, um alto oficial me ter dito que uma das grandes mudanças em democracia foi a diminuição da média etária dos operacionais. Nesta esquadra era de 28 anos.

Ainda assim, entrar na esquadra não é um ato tão impensado como entrar num qualquer outro prédio ou serviço social. Nas alturas em que há pessoal suficiente, como acontecia em 2004, podemos deparar-nos com um agente de sentinela, como no caso do Marques. Este fica de guarda à porta da entrada, fazendo uma primeira triagem dos visitantes e dos problemas. Quando está presente, o agente Marques avisa no interior ao que vimos. Ele trata de informar o graduado de serviço, que geralmente é alguém da carreira de chefe, responsável pela coordenação direta do grupo de agentes ao serviço no respetivo turno. Como não existem chefes suficientes, este posto pode ser ocupado por um agente selecionado pelo comandante.

Embora com dois pisos, rés do chão e cave, a 24ª, também denominada esquadra de Santo Condestável, é um espaço relativamente exíguo. Mas não é das menores esquadras que conheci. Esta nasceu através de um acordo entre o MAI e a Câmara Municipal de Lisboa, que cedeu o espaço ao Comando Metropolitano de Lisboa da PSP. Situa-se na parte térrea da sede da então Junta de Freguesia de Santo Condestável, hoje Freguesia da Estrela, e do seu centro de dia, um conjunto de serviços que ocupa os três pisos do edifício.

A entrada promove a ideia de esquadra transparente, aberta, com portas envidraçadas. Nas minhas primeiras visitas, quando entrava na sala, e à imagem de uma outra sala de espera funcional, sentava-me nos bancos corridos, dispostos numa das paredes. Passei muitas horas ali sentada, meio deslocada e desajeitada, até conquistar a confiança dos polícias e o acesso a uma circulação mais livre num lugar para o qual não fora convidada. Passei várias vezes os olhos pelos cartazes de alerta contra a violência doméstica e pelo *poster* que anunciava os limites impostos pela rigorosa e restritiva lei do uso da arma nas forças de segurança, eventualmente contribuindo para a fraca letalidade policial no país. Ao lado, por cima de três aprazíveis cachepôs com plantas, uma samambaia de Boston, uma coroa de cristo e uma elegante Dracaena, está pendurado um fresco do Atlântico, pintura realizada e oferecida por um morador. Pressente-se mão de uma mulher: é o gosto da adjunta do comandante.

Uma placa dourada, embora pequena (com cerca de 20 por 20 cm), sobressai no meio da demais informação disposta ao olhar do visitante. A informação coloca o tempo da política no espaço urbano: *"A esquadra de Santo Condestável da Polícia de Segurança Púbica do Comando Metropolitano de Lisboa foi inaugurada em 15 de Abril de 1998 por S. Ex.ª o Ministro da Administração Interna Dr.*

Jorge Paulo Sacadura Almeida Coelho." Esta era, definitivamente, no ano em que a conheci, uma das mais recentes esquadras da geografia lisboeta. Muitas outras nasceram, de modo mais atribulado, em espaços pensados para outras funções, inclusivamente habitacionais.

Embora o espaço da denúncia e registo de processos tenha lugar noutro compartimento, este é visível do lado de fora por estar separado apenas por um vidro. Numa mesa de fórmica senta-se o graduado de serviço, disponível para atender os pedidos dos cidadãos. À sua frente, uma cadeira vazia marca a presença do cidadão anónimo que oferece sentido ao serviço policial. O graduado de serviço tem ao seu alcance imediato um computador de mesa, uma fotocopiadora e a parafernália tecnológica que liga a esquadra à central de comunicações, à central-rádio e aos aparelhos de rádio--patrulha que circulam presos ao cinto do uniforme dos agentes nas ruas. As comunicações parecem complexas ao olhar estrangeiro, mas são relativamente simples de operar pelos polícias. O som permanente de vozes, entrecortadas por *bips* que ecoam do seu e dos demais rádios em serviço, está entre os mais característicos de uma esquadra. O processo de trabalho administrativo foi-se digitalizando, progressivamente, desde o final dos idos 1990. Mas o papel, ou "*a papelada*", como dizem os agentes, conserva ainda uma parte importante na dinâmica burocrática dos processos. Um agente com a função de motociclista encarrega-se de transportar, no horário de expediente normal (das 9h às 17h), um lote de documentação diversa entre a esquadra, a sede de divisão, outras esquadras da área da mesma divisão administrativa e os tribunais.

Em cima da mesa do graduado de serviço existe sempre um conjunto específico de documentação. Além das canetas BIC®) e do calendário da PSP, concebido cada ano na gráfica da Direção Nacional com imagens da força, ali se pode consultar o livro de registos, escrito à mão, que dá entrada às ocorrências criminais (com o chamado *número* único *de identificação de processo-crime*, NUIPC) serialmente numeradas, replicando parte da informação digitalizada, impressa e fotocopiada. Processos antigos e mais modernos encontram-se na prática do dia a dia. Todos concordam que desde que se generalizaram as advertências de melhoria da administração do trabalho policial, dirigidas às esquadras pela Inspeção Geral da Administração Interna (IGAI), a precisão tem sido maior. Os erros burocráticos pagam-se caro. É comum observar na mesa do graduado um amontoado de pedidos de mudança de turno, pedidos de férias, pedidos de licença de casamento ou de óbito. São tudo justificações administrativas internas que passam por este chefe de grupo para serem presentes e assinadas pelo comandante e pela sua adjunta.

Nas costas da mesa de trabalho do graduado é-lhe reservado um armário envidraçado preto com uma dezena de dossiês. Agrupam-se os impressos das ocorrências participadas há menos tempo. Os restantes, os mais antigos, são arrumados num arquivo ao qual poucos acedem, numa sala esconsa na parte interna da esquadra. Um dossiê sobressai neste pequeno armário. São as ordens de serviço diárias, uma espécie de diário da república das polícias, com decisões administrativas, diretivas operacionais, descrições das normas de execução permanente, progressões, louvores, punições e muito mais. Numa das paredes deste espaço contrasta com o ambiente um outro armário de estilo arquivístico antigo, em ébano, assinalando as várias modalidades de burocratização dos problemas policiais e criminais. Em múltiplas prateleiras se dispõem cópias dos auto de notícia, auto de exame e avaliação de objetos, auto de apreensão, auto de identificação, aditamento, auto de denúncia oral de furto ou roubo, declaração, auto de denúncia, notificação, auto de detenção, auto de inquirição de testemunha, guia de depósito, entre outros. Contei um total de 36 formulários-tipo diferentes. Não menos importante neste universo social é o livro que lista os nomes, número de matrícula e pedidos de transferência de agentes para os mais diversos comandos do país. Este é um documento determinante para o desenlace das biografias destes funcionários da administração pública. Tendo entrado por via do recrutamento nacional, muito raramente os agentes são colocados nas regiões de residência original. Atentos ao livro, muitos esperam a sua vez na lista, o momento das suas movimentações para outras unidades, comandos, regiões.

Um aparelho de televisão, permanentemente ligado, fica disposto no espaço de atendimento. Os noticiários e as matérias sobre crimes ganham sempre alguma audiência entre agentes que, por uma razão ou outra, se deslocam das ruas à esquadra. Sendo este um universo marcado pela masculinidade juvenil, os jogos de futebol são o principal atrativo, a despeito das constantes chamadas de atenção dos comandantes para que voltem às ruas. Ouvi com frequência os superiores advertirem: *"Voltem para o giro, o vosso lugar é a rua"*. Ali ao lado, um wc serve tanto os agentes quanto os cidadãos e cidadãs que, por algum motivo, passam pela esquadra. Mas serve também para revistas corporais rápidas a um larápio de rua ou a um pequeno traficante que os agentes considerem, ironicamente, não merecer tratamento VIP.

Bastidores

Na sala dominada pelo graduado de serviço, o acesso público é restrito. E mais limitado vai ficando, à medida que atravessamos a porta que separa o serviço público dos serviços internos da unidade. Assim que passamos a porta, um espaço intermédio com luz fria e artificial, revela-se. De um dos lados, num corredor de passagem para o piso inferior e em frente a umas escadas, está uma mesa e *placards* destinados a conter e afixar informações úteis aos agentes. Este é, genericamente, considerado o espaço dos agentes, leia-se de divulgação dos seus sindicatos. Por ali passam delegados que aproveitam para deixar informação aos associados, aos de facto e aos potenciais, na sua grande maioria agentes. Para os 22500 polícias há dez sindicatos e duas associações de sindicatos. Com a ajuda de um agente experiente, e procurando atualizar informações mais antigas reveladas na imprensa, fiz um cálculo do número de associados, já que estes dados estão sempre a variar e não são de fácil divulgação. Hoje deve andar perto dos 18000, aproximadamente 80% da força. A Associação Sindical dos Profissionais de Polícia (ASPP) deverá ter entre 10000 a 11000 associados, e o Sindicato dos Profissionais de Polícia (SPP) entre 4000 a 5000. O Sindicato Unificado da Polícia (SUP) e o Sindicato Nacional da Polícia-SINAPOL podem chegar a ter entre 1000 a 1200 cada. Os restantes casos não têm expressão, dado que são de classes profissionais, isto é, organizados para promover os interesses de cada categoria e ou começaram muito recentemente, funcionando ainda sem sede. Tirando o caso do Sindicato Nacional da Carreira de Chefes (SNCC), é pouco provável que algum deles tenha mais de 100 associados. Fazem parte da longa lista dos mais pequenos, o Sindicato Independente dos Agentes de Polícia (SIAP), o Sindicato Independente da Carreira de Chefes (SICC), a Associação Sindical dos Oficiais de Polícia (ASOP), o Sindicato Nacional dos Oficiais de Polícia (SNOP), a Associação Sindical Autónoma da Polícia (ASAPOL), o Sindicato Vertical de Carreiras da Polícia (SVCP), o Sindicato do Pessoal com Funções não Policiais da PSP (CIVIS: SPNP) e a Federação Nacional de Sindicatos da Polícia (FENPOL), da qual fazem parte o SUP, a ASOP e o SIAP. Com uma população profissional um pouco maior, mas militarista na sua natureza, a GNR não deverá ultrapassar os 12000 a 15000 sindicalizados, também repartidos por várias estruturas representativas.

Por vezes, nestes *placards*, os comandantes dispõem uma ou outra declaração ou normativa para ser lida por todos; no entanto, sendo este o espaço dos agentes, é também o lugar onde aproveitam para se fazer ouvir pelos seus superiores, algumas vezes usando a sua arma predileta, a ironia. Lembro-me, em particular, de uma declaração que mais tarde, em 2011, fui encontrar na esquadra de Chelas, dirigida por um agente ao seu comandante. Começava a instalar-se a tensão da crise em Portugal. Com o dilacerar das relações sociais e institucionais, ressurgiam o cinismo e o humor cáustico que tão bem conheci nos agentes.

"EXCELENTÍSSIMO SENHOR,

Joaquim José, elemento policial n°... do Comando Metropolitano da Polícia de Segurança de Lisboa, colocado na divisão e a exercer funções na Esquadra, comunica a V. Exª, para efeitos de averbamento no seu boletim biográfico, que contraiu matrimónio com a Polícia de Lisboa em 01Fev2012. De igual forma, vem perante V. Exª muito respeitosamente solicitar que se digne autorizar o gozo dos 11 (onze) dias correspondentes à Licença de Casamento. Pede diferimento, 02Fev2012."

Os resultados das operações *stop*, em geral estrategicamente marcadas para noites e madrugadas, também são aqui fixados. É nestes espaços que são visualizados os resultados operacionais de quem foi apanhado a cometer um crime público e presente a tribunal de pequenas instâncias criminais. Numa região marcada por estabelecimentos de diversão noturna, são flagrados muitos condutores em impressionante estado de embriaguez. A maioria dos agentes espera que, além de ficarem com a carta apreendida e terem de pagar multa, esses condutores *"levem grandes rabecadas dos juízes"*, como me disse o agente Martins. As sentenças variam. Vi os agentes e chefes elogiarem ou criticarem as decisões de diferentes juízes, cujas tendências pessoais no julgamento aprendem a adivinhar. Medem as características e personalidades desses seus outros superiores hierárquicos, a sua tolerância (a que chamam passividade), ou a mão de ferro. É neste lugar mais interno que se afixa um ou outro caso de polícia, como um processo de algum foragido considerado particularmente perigoso. Reparo que existe transigência para afixar cartazes com piadas partilhadas por todos, tais como o que anuncia as "razões porque uma cerveja é melhor do que uma mulher". Dizem que descomprime o ambiente de trabalho, atravessado pela tensão e controlo. É também neste espaço de passagem que, por vezes, se junta um grupo de agentes e se improvisa, com cadeiras ou encostos de pé, um local de conversa entre as rendições que ocorrem nas mudanças de turno.

Os agentes podem usar os serviços e espaços da esquadra, mas não existe uma sala do agente, ou algo parecido, para pausas ou repouso durante ou entre os turnos, como sabemos existir nas escolas da rede pública, as famosas salas dos professores. Supõe-se que os turnos, por serem curtos, de seis horas, impliquem que os agentes estejam *"comidos e dormidos"*, como me disse o comandante Branco, não devendo, por isso, pausar. Dir-se-ia que a forma como o espaço das esquadras se organiza tende a empurrar os agentes para a rua. É percetível o receio organizacional de que estes se sintam convidados a permanecer no conforto interior e tudo é burocraticamente feito para evitar tal entropia. Na verdade, mesmo numa esquadra nova como é a 24ª, não há um espaço criado para escrever as denúncias, ao contrário do que acontece em esquadras de outros países europeus. No interior das esquadras continua a ter destaque a figura do graduado de serviço, mesmo que na lei, e nos estatutos internos, os agentes sejam obrigados a administrar todos os processos e autos que geram.

Num corredor interno surgem mais duas salas. Uma é a secretaria, de onde partem e chegam as diligências judiciais, tais como penhoras, despejos, arrestos, arrombamentos. Os agentes mais especializados nessas funções são, também, os braços da justiça administrativa nas ruas. Muitas vezes é para este lugar que convergem os agentes dos programas de proximidade, esses que, na última década, têm ganho e dado notabilidade às esquadras. Especializados no contato e desenvolvimento de atividades de prevenção junto de escolas, idosos, comerciantes e, mais recentemente, na monitorização de vítimas e agressores de violência doméstica, eles respondem diretamente ao comandante local e trabalham com o apoio da secretaria. Durante os seus horários (das 7h às 14h e das 14h às 21h), assistem à mudança de turno de vários grupos, tendo uma relativa flexibilidade na relação de trabalho com os restantes patrulheiros. Para uns, meros assistentes sociais fardados, para outros, o que de melhor aconteceu nas esquadras. Os agentes da proximidade ganharam tanta visibilidade interna quanto externa. Na maior parte do tempo, a "micro secretaria" é ocupada apenas por uma agente que desempenha o papel de assessora e adjunta do comandante, muito embora a maior dependência administrativa esteja a cargo da divisão, que serve de sede para cinco outras esquadras desta mesma região urbana de Lisboa.

Já a sala de aulas foi criada com a filosofia de oferecer um espaço de treino contínuo aos profissionais da esquadra, programa que teria vida curta. Uma série de cadeiras universitárias pretas, com braço escamoteável, estão aritmeticamente alinhadas a fazer lembrar uma escola. São usadas, ocasionalmente, para reuniões de esquadra ou por um ou outro chefe mais rigoroso na passagem da informação entre turnos, a chamada formatura, algo que, com o passar dos anos e do "civilismo" na polícia, se tornou mais um proforma do que uma regra. De modo mais informal e de pé, os poucos grupos de agentes que têm chefes supervisores operacionais a circular no designado carro-satélite, ouvem uma breve revisão dos principais problemas policiais ocorridos nas últimas 24 horas. O espaço é usado pelos agentes para redigir o expediente num velho e amarelado computador que ali foi colocado para o efeito. Serve, também, para aceder às bases de dados policiais e receber pessoas, inquirir detidos, descansar um pouco ou ler o jornal, sobretudo nos turnos mais parados da noite. No principal *placard* da sala os agentes podem perspetivar o mapa de giros, que contém a divisão por subáreas de toda a área de administração policial da esquadra. "Giro" é um termo antigo que remete para o patrulhamento a pé. Foi mantido por tradição, mas hoje a administração do patrulhamento é bem mais dependente de ordens locais conjugadas com grandes planos de segurança da DN da Polícia. Cada vez mais, de forma muito periódica, mensal e semanal, o foco onde se concentra a ação policial é definido superiormente com base em dados de análise estatística. No entanto, este trabalho ainda é pouco refletido no quotidiano de patrulha das esquadras. Alguns agentes passam os olhos pelo relatório mensal das estatísticas criminais; é algo que não lhes diz muito. A avaliação do trabalho de controlo criminal é um elemento recente, que contrasta com a tradição do policiamento aleatório em mapa, o chamado mapa de situação. Dividido em itens, o relatório mensal do crime destaca os somatórios de uma parte da ação policial, fazendo com que essa informação sirva, também, para orientar o policiamento. As estatísticas tendem a reforçar, desde o nível operacional, a ideia de que o policiamento tem "objetivos", conceito inovador mas interpretado com alguma resistência nas esquadras. Tais conceitos, oriundos da gestão privada, afetaram a administração pública, tendo chegado às esquadras nos anos 2000. Sendo o policiamento um trabalho de difícil medição, muitas vezes de cariz meramente qualitativo, não é sem algum cinismo que alguns agentes olham para esta nova medida de contabilidade e administração: *"Isto aqui é a caça ao número"*, dizem uns; *"na verdade, respondemos à sociedade com números"*, dizem outros; *"a política das estatísticas é uma fachada, não muda nada"*, advogam. Muitos dos agentes que trabalham nos programas de apoio a vítimas, por exemplo, sentem que o seu trabalho não é suficientemente valorizado por não ter uma evidente expressão estatística. É comum ouvir dizer que os chefes preferem detenções e multas passadas.

Os espaços mais nobres e bem decorados das esquadras são, invariavelmente, os das chefias. Neste caso, o do comandante e o da adjunta, cada qual tem o seu. A parede principal da sala do comandante convida a olhar o conjunto dos efetivos da esquadra, organizados num *placard* com fotos tipo passe. Ficamos a conhecer os rostos, os nomes e os números de matrícula de todos eles: comandantes, graduados, agentes dos grupos (de Alfa a Delta), condutores dos carros-patrulha, escriturária e motociclista, os agentes nos programas da proximidade e até os que estão noutras situações (baixas médicas, licenças, formações ou treinos). O esquema é fielmente replicado na sala da adjunta. Quando cheguei à esquadra, havia um total de 57 pessoas. Já naquela altura, o número de efetivos tendia a diminuir devido aos cortes orçamentais que se anunciavam para a função pública. Outro dos mapas dispostos nos *placards* refere-se às escalas de serviço mensais que organizam, ao milímetro, o tempo dos serviços por turnos das 24 horas do dia e dos 365 dias do ano. A escala é administrada pelo departamento das operações da divisão. Desse modo, é fixada uma base formal de distribuição dos grupos de trabalho pelo cronograma. A vida da esquadra, dos agentes e o policiamento está, assim, toda mapeada, não só no espaço mas também no tempo. As alterações, por mínimas que sejam, exigem complexas justificações burocráticas, uma escala de alterações, como é chamada, que se justapõe à primeira, sendo gerida pelas chefias. Diz-se que tudo isto são proteções burocráticas, criadas para que a PSP funcione em democracia, isto é, para que não haja abusos e para que os elementos possam planear as suas vidas privadas. Como me revelou um comandante, *"a área do policiamento, tal como surge no mapa de giros, é como um jogo de xadrez. A escala de serviço tem os jogadores. A escala das alterações tem o mapa, o tabuleiro onde eles jogam"*. Tempo, espaço e dinâmicas são alvo de atenção e aperfeiçoamento administrativo desde os anos 1980. Reconfigurar o policiamento em democracia significou apetrechar a burocracia.

Nas respetivas salas, os comandantes têm por cima das suas cabeças o retrato emoldurado de Jorge Sampaio, o Presidente da República em exercício em 2004 – de novo na polícia, um marcador do tempo da política. Vários objetos evidenciam que as chefias passam mais tempo naqueles lugares, fazendo deles um espaço seu, relativamente acolhedor e, como tal, reservado. As plantas, desenhos dos filhos, objetos turísticos e fotografias de família, tudo isso ajuda a amenizar o ambiente uniformizado. A maioria dos agentes bate continência quando é convidado a entrar na sala ou se encontra na presença destes superiores hierárquicos. Finalmente, se por algum motivo é necessário recorrer a regulamentos, ao código penal, processual penal, ao código da estrada, administrativo ou outros que orientam ou regem a ação nas ruas, é na sala do comandante ou da adjunta que os tomos vão ser encontrados. Há uma mimese da hierarquia nas regulamentações. Quem manda, possui.

Marta, a adjunta do comandante, foi a primeira pessoa com quem contatei no dia em que cheguei à 24ª. Desde que na década de 90 os comandantes de esquadra começaram a ser recrutados entre os oficiais, à saída de uma formação superior de cinco anos no Instituto Superior de Ciências Policiais e Segurança Interna (ISCPSI) da PSP ao Calvário, os chefes assumiram, em alguns casos, o papel de adjunto do comandante. Marta é da carreira de chefe. Marta, à sua maneira, imprime certo estilo à esquadra por ser uma mulher viva, nos seus 50 anos, magra e alta, ruiva de longos cabelos ondulados. O seu estatuto permite-lhe certas liberdades na apresentação de si, não toleradas às operacionais. É conhecida entre os agentes como "a senhora dos anéis", alusão à trilogia de Tolkien que veio a ser adaptada e popularizada através do cinema. Incisiva e intensa, jamais esquecerei frases suas de apreciação do trabalho policial em Campo de Ourique: "*Há velhos a morrer de fome nestes prédios caríssimos do bairro. Isto já não é o abandono do velho deixado com uma manta e uma garrafa de* água *na montanha. Aqui, em Lisboa, presenciamos o abandono dos idosos nestas caixas de fósforos que construímos*", dramatiza com recurso à metáfora. De imediato me apercebi que os programas da proximidade tinham uma madrinha, e não seriam facilmente desmantelados enquanto ela permanecesse ao serviço desta esquadra.

Chefias

Enquanto a chefe Marta permanece, os vários comandantes passam. Nos meus doze meses de permanência na 24ª conheci três diferentes, com os seus estilos singulares de liderança mas com algo em comum. Qualquer comandante de esquadra está hoje preocupado com a produção de estatísticas criminais, esse instrumento simples de medição e comparação de performance entre estas unidades territoriais. Muita da pressão política organizacional recai sobre os ombros de jovens subcomissários e comissários, da carreira de oficial, que disputam entre si resultados que, por sua vez, lhes permitem administrar, melhor ou pior, as suas próprias carreiras pessoais. Estão dependentes da avaliação, tão objetiva quanto subjetiva, de outros oficiais superiores a eles. A imagem mais usada para entender a estrutura hierárquica de matriz militar da polícia é a pirâmide. De acordo com o último Balanço Social disponível, de 2012, mantém-se o grande contingente de agentes na base (quase 85%), os chefes ao meio (11,5%) e os oficiais no topo (3,6%), numa força que tem no total pouco mais de 21 mil efetivos e que, agregado à GNR, representa 44 mil pessoas. Mas o que dá movimento e dinâmica a esta atividade *sui generis*, que oscila entre ordens e iniciativa, é o sistema de posições que muitas vezes é sumariado numa outra figura, a da cadeia de comando. Cada indivíduo, em diferentes fases da vida profissional e pessoal, coloca-se em relação a outros numa posição determinada, que tanto pode ser de liderança como de subordinação. Dito de outro modo, um comandante de esquadra é, em simultâneo, o líder dos agentes e chefes e um subalterno face a outros comandantes e autoridades de polícia. Isto distingue as chefias daqueles que se mantêm toda a vida na carreira de agentes. Se para os primeiros existe expetativa de carreira, para os segundos a progressão está mais submetida às funções executadas num plano horizontal.

Nenhum comandante de esquadra escapa a ter de recorrer, de modo mais ou menos informal, aos serviços de duplas de agentes mais obstinados nesse trabalho da *"caça ao número"*, como cinicamente se chega a comentar nas esquadras. Uma alternativa proactiva, e cada vez mais comum, é a colaboração entre as esquadras e grupos de agentes que operam em carrinhas nos serviços de intervenção e fiscalização policial, também conhecidos por brigadas de intervenção rápida ou, termo que mais se popularizou, piquete. O fito do policiamento é aqui apontado para o pequeno tráfico de drogas, paragem e revista de suspeitos, tendendo a fazer recair os olhares e gestos no controlo de jovens maioritariamente pobres, imigrantes e seus descendentes. Se os agentes adivinham nos superiores a autorização para serem duros, são duros. Ouvi com frequência, da voz dos agentes e chefes, que *"o que faz uma esquadra é um comandante"*, isto é, o seu estilo pessoal, a sua personalidade e envolvimento. Por isso se reclama que alguns ficam tão pouco tempo que *"não chegam a aquecer o lugar"*.

O subcomissário Belo ficou um ano na 24ª esquadra. Era açoriano, também na casa dos 50 anos, magro, reservado e sempre com a cabeça entre o serviço e Angra do Heroísmo, onde residia a família e a promessa do regresso. Entre os agentes era carinhosamente apelidado de "Casa Nostra", por referência à marca de queijo açoriano comercializado em todo o país. Era exigente e tinha boas ideias para regular o trânsito no denso e povoado bairro de Campo de Ourique, mas o comandante da divisão pedia-lhe outros indicadores criminais, sobretudo detenções. *"O trânsito só nos traz problemas com a classe média"*, ter-lhe-á dito o superior hierárquico num tom irónico e jocoso que o Subcomissário Branco, como também era conhecido, se apressou a desaprovar com tom sério.

Este Sub revelou-se um comandante exigente com *"os seus homens"*, pronome possessivo que lembra a influência uniformizada militar na polícia. Quando um dia me encontrava fora da esquadra, pronta para ocupar o banco de trás do carro-patrulha junto com uma série de agentes, dirigiu-me uma missiva: *"Ainda bem que por aqui anda a doutora atrás de vocês; assim pode ser que trabalhem mais"*. Dos agentes esperava que patrulhassem as ruas, de carro e a pé. Queria vê-los na esquadra, mas apenas quando em frente ao computador, a escrever participações ou denúncias. Se encontrava um agente no espaço da banca, encostado a um móvel, com ar relaxado e a olhar para a televisão, irava-se: "*Já daqui pra fora; o senhor não é pago para ficar a ver televisão durante o turno*".

Reparei que alguns agentes de noite se deixavam atrair pelo espaço subterrâneo da esquadra. Sendo esta uma das maiores "*esquadras de passagem*", como dizem os agentes, por onde, como tantas outras em Lisboa, circulam agentes jovens oriundos de todo o país, ela foi equipada com três quartos exíguos, cada qual com quatro beliches. De modo a facilitar a vida de quem ali pernoitava, o espaço tinha uma cozinha com uma ampla mesa de jantar. Não cheguei a comer ali o cozido à portuguesa à transmontana, confecionado por alguns agentes nas folgas, mas ouvi falar dele.

Por ser uma esquadra recente, não lhe foi reservado um espaço para contenção temporária de pessoas. Nesta, como na maioria das esquadras portuguesas, foram abolidos os lugares de detenção provisória, conhecidos por calabouços na gíria policial. Ali permaneciam os detidos, por vezes por tempo indeterminado, até serem deslocados para o Comando Metropolitano de Lisboa e depois presentes a tribunal. Nas esquadras destacadas, de maior dimensão e sem uma divisão administrativa a regulá--las, esses espaços mantiveram-se, mas já com outro nome, são as salas de detenção. Tudo leva a crer que a medida de extinção das celas nas maiores cidades visou colocar em prática as advertências da Convenção Europeia para a Prevenção da Tortura e das Penas ou Tratamentos Desumanos e os relatórios da Amnistia Internacional, enquadrada numa política de prevenção da violência policial. Mas a pressão judicial, associada à memória social, também conta. O desuso da prática de manter os detidos nas esquadras, parece refletir claramente um episódio traumático na sociedade portuguesa, que só conheceu a democracia após 1974. Trata-se daquele que ficaria conhecido como o crime de Sacavém. Em 1982, no posto da Guarda Nacional Republicana (GNR) local, um sargento matou a tiro e decapitou, com uma faca de mato, um suspeito identificado como toxicodependente e ladrão. O interrogatório, seguido de assassinato, foi levado a cabo precisamente na cela. Segundo reza a história, o comandante, com a ajuda de dois guardas, decidiu ocultar o cadáver que seria largado num descampado na Quinta da Apelação. O sargento só seria condenado no final de 1997 a uma pena de 17 anos e os guardas a 6 anos de pena cada um. O comandante foi simplesmente transferido, depois de já antes ter conquistado certo reconhecimento, com louvores, por serviços prestados à guarda. Ao que tudo indica, o crime de Sacavém chocou a população local e o país em geral e terá pesado nas sucessivas reestruturações policiais, algumas delas só conseguidas a partir da segunda metade de 1990, já com uma democracia mais madura e maiores políticas de pressão internacional que chegariam ao país depois da adesão à União Europeia, em 1986. No caso concreto, o próprio posto da GNR veio a ser substituído por uma esquadra da PSP. Mas a questão obrigou a ir mais longe, obrigou, também, a repensar estilos de policiamento ostensivos e princípios básicos de direitos humanos. Desde então, assiste-se a uma fase de grandes transformações, sobretudo visíveis em sucessivas alterações legislativas e em transformações ao nível da organização e planeamento genérico da atividade policial.

Os meios

Na 24ª conheci e acompanhei com frequência as tripulações das três viaturas (e duas motos) disponíveis na esquadra. Todos os veículos foram sendo equipados com sirenes, giroflex e pinturas exteriores para identificação imediata da PSP por parte da população. No interior de cada automóvel encontra-se uma unidade de controlo de rádio emissor-recetor, terminal de dados móveis, navegação e alertas visuais e sonoros. Um deles era o infalível carro-patrulha, um Škoda Octavia que, apesar de ser um modelo familiar, fora recentemente adquirido. Entre as figuras mais típicas das tripulações destas viaturas, e consequente ação policial, estão o condutor e o respetivo arvorado. Este último é quem avança para as ocorrências, o que dá a cara e o corpo às balas e recolhe as denúncias, muitas vezes usando o velho bloco e um esferográfica que transporta no bolso traseiro das calças do uniforme. Um certo desequilíbrio na divisão do trabalho nas esquadras faz com que o carro-patrulha seja o grande produtor de expediente e, portanto, o protagonista de trabalho de intervenção policial. Por ser a melhor forma de escapar ao tédio reinante do policiamento, esta é a modalidade de trabalho mais valorizada entre os agentes; é onde, no plano das esquadras, os mais jovens ambicionam chegar. Já o chamado carro-visível, afeto ao patrulhamento de proximidade, não é usado de modo tão ativo quanto o primeiro. Aquele velho Fiat Tempra, com mais de quinze anos ao serviço, é um lugar onde poucos anseiam circular. Todos se lhe referiam como o chaço da esquadra. Sendo um carro considerado dissuasor, tem por objetivo circular aleatoriamente pelas ruas dos bairros da área e parar, com frequência, nos pontos mais sensíveis, como determinado tipo de estabelecimentos e zonas comerciais movimentadas. Numa terceira viatura, um Fiat Uno com cinco anos, circulam os agentes da proximidade, dedicando-se à patrulha de áreas próximas a estabelecimentos escolares. A viatura da Escola Segura, nome do programa executado por um trio de agentes na esquadra, tal como alguns apetrechos, como os miniuniformes para as campanhas de sensibilização de crianças, foram oferta das autarquias locais. Assim se faz notar o apoio do poder local a programas especialmente voltados para moradores, idosos, crianças, jovens, vítimas e comerciantes de bairro. Nos anos 2000, os programas de proximidade viram consolidar a sua popularidade no país. O Escola Segura jamais se livraria da marca de programa-exemplo da polícia. Em 2012, pela mão do primeiro Diretor Nacional Paulo Gomes, formado no ISCPSI-Instituto Superior de Ciências Policiais e Segurança Interna, a proximidade seria de novo protagonista de ideias de modernidade, abraçadas e consolidadas pela polícia na última década. Celebrou-se o facto de a PSP estar entre as primeiras polícias no mundo a adotar uma frota de oito veículos Nissan LEAF, 100% elétricos, para as atividades de patrulha dos "escolinhas", como são afetuosamente apelidados os agentes nestas equipas de trabalho.

"Exmo. Senhor Comandante da Esquadra de Campo de Ourique,
Venho por este meio agradecer os serviços prestados pela agente Maria e o agente Pina, a nosso pedido, na escola secundária Manuel Damaia. Os agentes tiveram uma prestação notável de formação preventiva sobre violência entre namorados (...)
Professor João Almeida (Estudo do Meio)."

A chegada deste tipo de cartas à esquadra, e o seu encaminhamento para a divisão, oferece visibilidade aos programas da proximidade no seio da própria instituição policial. É certo que os mecanismos dos louvores internos têm forte influência nos processos de avaliação para potenciar as promoções, mas as cartas dos moradores fazem mais. Os elogios externos e pessoalizados enaltecem os agentes e apelam ao que se convencionou denominar de espírito de missão, aquilo que muitos deles admitem partilhar com bombeiros, enfermeiros, assistentes sociais e outros funcionários da malha das respostas às emergências civis.

A certas horas do dia, o edifício da esquadra enche-se de vozes, piadas e de um barulho quase inaudível. O movimento anuncia a rendição dos turnos de um serviço, sempre de portas abertas e em atividade. *"Uma esquadra nunca fecha"*, orgulham-se os agentes. Reuniões improvisadas por chefes dos grupos de cada turno fazem passar, por entre a excitação contida nesses momentos, informações breves relativas à área administrada pela esquadra. Porém, na maior parte do tempo, tudo está calmo, sobretudo quando não existem ocorrências na rua e o espaço na parte dianteira da unidade está vazio, pela ausência de cidadãos a apresentar denúncias. A distribuição diária do número de registos relativos às ocorrências centra-se, nesta área, sobretudo nos turnos da tarde e da noite, sendo as madrugadas e as manhãs em geral mais calmas. Em muitos momentos, o tédio aparece como elemento enraizado na patrulha. É preciso entreter o corpo para conseguir controlar o sono. Os agentes são os primeiros e mais assíduos clientes das padarias que abastecem o pão da cidade durante as madrugadas; bebem café nas lojas de conveniência das gasolineiras, onde as fardas são bem recebidas e afastam os frequentes clientes indesejados. Observam com uma atenção invulgar a aurora e o movimento matutino dos transeuntes que, em muitos casos, conhecem pelo nome próprio.

Muitas vezes acompanhei os agentes, madrugada adentro. Lembro-me de, no mês de Maio, estar no carro-patrulha no turno da 1-7 horas, de sábado para domingo. Já por volta das 5.30h, ansiando pelo fim do trabalho e uma cama quente, parámos numa das principais esquinas de Campo de Ourique, entre a rua Ferreira Borges e a Infantaria 16. Daqui, os agentes conseguem ter uma perspetiva ampla das ruas e do emergir do movimento matutino. Daqui se comentam os que quase voam com o vento, os bêbedos, e outros transeuntes, como um conhecido transexual das redondezas que, de modo espampanante, passa por nós e nos cumprimenta. O agente Pais, um dos mais jovens recrutas, com 23 anos, diz: *"No norte não há disto; nunca tinha visto nada disto até chegar a Lisboa"*. O agente Cruz abstém-se. O Pais lança-se então numa discussão sobre as diferenças entre o campo e a cidade, o norte e o sul. Defende o norte. Diz que só o Alentejo se assemelha em qualidade de vida. No norte tudo é melhor, a comida e até as mulheres. Cruz, que é da margem sul, provoca-o: *"Pois, as do norte até têm bigode"*. Mas o Pais responde: *"As mulheres em Lisboa são fingidas e enchem as faces de base. Aliás, as pessoas de Lisboa só gostam de carros e roupas"*. Vai lembrando as festas de Verão nas aldeias, evoca o cheiro do forno a lenha. Cruz admite apenas que já foi ao norte, mas Pais insiste que um dia o levará consigo. É de uma aldeia perto de Ermesinde. Diz que o Cruz vai gostar tanto que não vai querer regressar à capital. Conversar é preciso, mata o tédio e faz os ponteiros do relógio rodarem mais depressa. Alguns destes momentos foram para mim uma rara oportunidade de partilhar e testemunhar a sós, com os donos da rua, o nascer mágico de inúmeras manhãs.

As ruas dos agentes

Várias vezes me foi dito que o mais difícil, para quem vem de fora, é alcançar as ruas dos agentes. A rua é dos polícias. Quando em 2001 decidi que daí em diante mergulharia na realidade policial portuguesa, sabia que não iria ser fácil. Para melhor tentar entender esta instituição, encetaria uma longa, ardilosa e intermitente negociação com as autoridades do Largo da Penha de França, onde se situa a cabeça administrativa da DN da PSP, numa das sete colinas de Lisboa. Em Fevereiro desse ano revelei a um dos oficiais superiores, aquele que viria a ser um dos meus fundamentais interlocutores nos anos seguintes, a minha maior ambição: a de permanecer um período longo nas esquadras de polícia. A sua reação deixou-me tão intrigada quanto entusiasmada: *"Agora finalmente alguém vai poder ajudar-nos a saber, a nós aqui em cima, o que fazem os polícias, lá em baixo, no terreno. A polícia é uma caixa negra"*. Em 2004 e 2005 testemunhei essa mesma dificuldade que, na realidade, já toda a gama de pesquisadores das modernas polícias norte-americanas experimentara desde os anos 1950. Quando tentamos fazer uma lista das tarefas operacionais e administrativas do policiamento, deparamo-nos com uma impossibilidade técnica, a de prever e circunscrever todas as alternativas de intervenção destes burocratas de rua. Cedo ficou claro para mim que não há, e nunca poderá existir, coincidência matemática entre lei e segurança.

Corria o mês de março quando, numa quarta-feira, vesti o meu *bomber jacket* preto. De *jeans* e botas escuras, inventei a minha própria farda para, pelo menos, me tornar semelhante aos agentes à paisana. Lembro-me de me preparar em casa, em frente ao espelho, tentando convencer-me, estética e moralmente, da vida que ia levar daí em diante. Logo em seguida desci no elevador e, por sorte, a umas ruas de minha casa, avistava a esquadra de Campo de Ourique, onde eu passaria a estar grande parte do meu tempo. Tinha autorização formal para ali ficar, nesta e noutras da divisão que visitaria circunstancialmente. Tenho a certeza de que a minha intenção foi percebida pelos agentes. Quando andava com eles nas ruas, e se pressentiam algum olhar indagador num civil, logo tratavam de me apresentar como colega, sem mais explicações. A minha figura entre os fardados viria a despontar toda a sorte de dúvidas nos moradores mais atentos ou temerosos: Seria uma estagiária (isto é, cadete do ISCPSI)? Uma chefe? Da investigação criminal ou uma assistente social? Soube, no decorrer dos meses, que na parte baixa do bairro, identificada pelos polícias e moradores de Campo de Ourique como zona de tráfico de drogas, corria o boato que andava uma paisana na esquadra. Aos poucos tudo isso foi caindo em desuso. Até essa incómoda sensação de parecer estar num documentário de Frederic Wiseman, a observar o insólito. Ainda lembro as primeiras semanas em que me demorava na parte mais pública deste frio estabelecimento, sem saber exatamente o que fazer. Quando não era convidada para a sala do comandante e adjunta, adotava uma postura de espera, deixava-me ficar sentada nos bancos metálicos na entrada da unidade. Li e reli, vezes sem conta, os folhetos disponíveis. Uma vez ou outra, conversava de raspão com o agente de sentinela, ou com algum chefe que tolerava a minha estranha presença. Nunca alguém de fora ali estivera, e nem por tanto tempo, disseram-me, muito menos aos domingos e feriados, esses dias que, se calhasse ser folga, mereciam festejo. Um dia, talvez por pena, por me ver ali aos caídos, o comandante lá mandou um agente levar-me num serviço típico. Disfarcei a excitação. Sentia o entusiasmo de uma criança. Assim conquistei o meu lugar nas ruas dos agentes. Havia, num prédio ao virar da esquina, um óbito para verificar. Eu iria ver um cadáver.

Cadáver

Segui então a pé com o agente Bonito, um leiriense com pouco mais de 35 anos, que faz jus ao nome. Depois de passar a porta metálica do prédio, subimos no elevador de um dos edifícios de um bloco de apartamentos que ocupa todo o quarteirão. Este faz parte da pouco atraente arquitetura dos anos 1940, que acompanha o traçado retilíneo do bairro, entre a velha Estrela e as torres pós-modernas das Amoreiras. No quinto andar C, a porta está aberta. Mantenho-me com o Bonito na varanda exterior. De pele lívida e mirrada carregada pelo luto, a mulher do morto, nos seus 60 anos, diz, cabisbaixa, mal vê a farda, que já sabe ao que vimos. Aconselha-nos a esperar do lado de fora da casa. Aguarda o médico de família que, como é da caixa, vai com certeza demorar, avisa. Quando entra pela porta que se mantém aberta, deixamos de a ver. Bonito puxa de um cigarro e acende-o, sempre com os *bips* e a voz metálica do rádio-patrulha a quebrar o silêncio.

Bonito tem cabelo alourado, olhos claros e um sinal no rosto, o que, no seu conjunto, o faz parecer mais jovem do que realmente é. Considerando-se mais entendido do que desconfiado, resolve falar-me crítica e nervosamente sobre a PSP. Desabafa sobre alguns assuntos que eu iria ouvir com frequência dali em diante, um rol mimético de queixas sincronizadas com as exigências dos dois maiores sindicatos da polícia, a ASPP e o SPP. Bonito diz que a polícia está a bater no fundo e que a moral está em baixo: "*Não conheço um agente que não esteja revoltado. Saímos da Escola Prática de Polícia com uma ideia e somos largados nos comandos como carga. Nem sabemos o que fazer. Muitos colegas, na primeira noite que chegam, dormem ao relento*". A maioria não é alfacinha e nem quer ficar toda a vida a trabalhar no comando de Lisboa. Diz que quem consegue uma cunha, safa-se. "*Aqui reina o fator C, mas a maioria dos agentes nunca sai da cepa torta. E olhe bem para isto, isto parece uma farda de cerimónia mas é para todos os dias! Basta ir a Espanha para notar a diferença. Eles usam t-shirt no Verão e polo no Inverno. Esta gravata até se pode virar contra nós. Se algum nos agarra pelo pescoço, estamos lixados. E com este chapéu todos temos histórias. Uma vez estive para o deixar ir. Andei já demasiadas vezes a correr atrás dele quando me voa da cabeça. A arma que tenho agora funciona. A antiga que tive durante anos só dava o primeiro tiro, depois encravava*".

Quando alguém morre, a Polícia tem de ser informada. Vai sempre ao local. O agente só é dispensado após receber a certidão de óbito do médico. Quando se trata de cadáveres na via pública, é chamado o delegado de saúde e o corpo vai, invariavelmente, para o Instituto de Medicina Legal. Na gíria policial esses são os presuntos, sobretudo quando em avançado estado de decomposição, mas também podem ser designados de corpo, mortalha, defunto ou, simplesmente, morto. Nessa altura, a área é delimitada para ser analisada. "*Alguns cadáveres ficam ali dias inteiros*", diz Bonito, "*este processo é burocrático e envolve muito tempo, e a vontade dos delegados para trabalhar também não é lá muita*".

De repente, gera-se uma nova movimentação de entrada e saída de parentes e amigos do apartamento. Isso oferece ao agente um olhar cínico sobre as relações humanas. Bonito comenta comigo que, quando os velhos morrem, aparece toda a sorte de gente para ver se lhes calha alguma coisa em testamento, ou mesmo para conseguir naquele momento tirar à socapa alguns objetos mais valiosos da casa. Noto que para se entreter e esquecer da espera, vai mudando o posto de frequência do rádio. Capta as comunicações da divisão da Amadora. Ouvimos pelo rádio um carro ser intercetado. Nesse instante chega o agente Pimentel, originário de Moimenta da Beira, que está de arvorado do carro--patrulha e é quem, efetivamente, responde pelas ocorrências e seu registo, sentando-se do lado direito do condutor. *"Ouviste?"*, pergunta. Bonito confirma, *"Tenho estado a ouvir, sim"*. Trocam informações sobre nomes de colegas que adivinham poder estar envolvidos; todos se conhecem por escolas de alistados, por contatos no trabalho ou dos bares que frequentam nas folgas, na Avenida 24 de Julho e nas Docas. Acompanham à distância, imaginando a perseguição que será feita a uma pessoa que fugiu do Instituto Prisional de Leiria. Ambos reiteram que os piores *"mitras"*, referindo-se a jovens com problemas com a lei, envolvidos no tráfico de drogas no varejo e, em geral, identificados por serem negros, se situam entre os bairros de migrantes da margem norte e da margem sul. Soletrar o nome da cidade Amadora (no distrito de Lisboa), provoca uma série de ambiguidades nos polícias. Dizem que é lá onde está o calor da ação policial, onde o piquete tem mais liberdade de uso do bastão, onde o enfrentamento do perigo gera solidariedade e coesão (características que consideram inalcançáveis em zonas históricas da cidade) até mesmo entre colegas nas esquadras comuns. Mas é também para lá que os agentes vão contrariados exercer o patrulhamento, onde a frustração se transforma mais facilmente em arma de arremesso contra pobres de bairros que nasceram de ocupação espontânea, como é o caso da Cova da Moura, do Seis de Maio, entre outros. Pimentel é também conhecido por careca. Orgulha-se de não ter um pelo no corpo. Frequenta o ginásio diariamente, o que o torna mais musculado do que a maioria. Mas não chega, nem de perto nem de longe, ao corpo trabalhado do agente Dinis, alcunhado de nitrofurano.

Passaram quase duas horas. *"Chegam a doer as veias das pernas"*, diz Bonito, do peso parado do corpo em cima delas. Por estas e por outras, não admira que o elemento preferido dos agentes seja o carro-patrulha. Depois de passar muitos turnos de pé, sobretudo nas ruas gélidas e com o vento cortante das madrugadas de inverno, partilhei com eles a impaciência do anseio por um assento quentinho na parte de trás de alguma viatura policial. Mesmo que fosse num assento carcomido pelo uso ininterrupto. Noutros dias, só apetecia voltar ao calcorrear das ruas, para recuperar a liberdade da itinerância e o ar fresco na face. Chega a ser enjoativo de tanto rodar, curva contra curva, nas mesmas ruas.

Finalmente o médico chega acompanhado do óbito. Dispensados e a caminho da esquadra, oiço os dois agentes comentar que o homem que morreu é marido da Milu. Percebo que a mulher franzina de há pouco é conhecida dos polícias. Dizem que já o marido estava às portas da morte e ela vinha à rua beber a sua pinga, na mesma tasca onde os agentes comem uma sopa e uma sandes para enganar a fome. Bonito pergunta-se, ao vislumbrar alguma degradação no interior de apartamento, como pôde este casal viver tão mal com uma reforma da força aérea. Diz que ele era sargento e ganhava uns 300 contos (900 euros) de reforma. Quando entramos na esquadra, um agente vem na minha direção. Interpela-me: *"Tocou no morto?"*. Mais tarde, numa outra situação de verificação de óbito dentro de um quarto escuro, onde estávamos com o morto estendido sobre o leito, fui convidada pelo agente a cutucar o corpo: *"Não tem curiosidade? Toque-lhe. A gente tem de verificar"*. Não duvido que, para estes burocratas de rua, toda esta averiguação oficial da morte comprove o que em tal circunstância são: fabricantes de pequenas verdades jurídicas.

Uma vez, enquanto circulava com dois agentes no carro-
-patrulha, o condutor recebeu uma mensagem de um colega, da
mesma escola que ele, recém-chegado há um mês à esquadra.
No telemóvel dizia: "*Fui ao meu primeiro cadáver!*". Esta é das poucas vezes em que a situação é celebrada como espécie de iniciação
nos serviços da patrulha. Mas, com a prática, irá tornar-se uma
obrigação enfadonha. Para a maioria dos agentes, ir a um cadáver pode transformar-se num pesadelo burocrático e, o grande
temor, obrigá-los a prolongar o seu horário fixo de trabalho. Toda
a responsabilidade pelo óbito recai sobre eles. Apenas se houver
suspeita de crime irão pedir a um superior hierárquico para se
deslocar ao local. "*Vais para o giro 5, com sorte ainda apanhas um
cadaverzinho*", caçoam ironicamente os chefes no início dos turnos ao orientar na patrulha os agentes apeados. Nos casos mais
complicados, um agente pode ter de ficar a guardar um cadáver, como dizem, durante um dia inteiro. E se não há agentes
disponíveis numa esquadra ou na divisão, têm forçosamente de
ser pedidos de empréstimo a outras. Os agentes mais expeditos
aprendem a aligeirar a burocracia necessária nestes casos e a usar
alguns truques pessoais para abreviar o tempo de permanência
no local. Nunca me disseram quais.

Certo dia estava de tripulante no carro-patrulha, com o
condutor e o arvorado do seu lado. No momento em que esta-
cionámos passou por nós uma ruidosa e acelerada ambulância.
Seguimo-la atentamente com o olhar. Quando virou a esquina e
saiu do nosso alcance visual, o condutor suspirou, aliviado. Nesse
momento, a agente Magda, que estava de arvorado, não se con-
teve e, com boa disposição, desfiou o novelo. Explicou que se
houvesse cadáver, e fosse na área da esquadra, teria de ser ela a
guardá-lo. Se fosse para a esquadra vizinha, a situação não era
melhor. O cadáver ficaria por conta do seu marido, que era quem

nesse turno efetuava o trabalho de arvorado no carro da unidade. É que nesse dia ambos tinham programado partir de férias para o sul do país, perto de Beja, para casa dos pais dela, e não lhes convinha nada assegurar um serviço destes a esta hora, tão perto da rendição. Assim, permanecemos os três de ouvidos colados ao rádio-patrulha à espera de algum desenlace. Da central perguntaram pelo ponto da situação deste carro. Ficámos suspensos. O condutor Conceição suspeitou que nos iriam mandar ao local do cadáver. Mas, afinal, era para saber se estava livre, nada aconteceu e o turno terminaria passados alguns minutos. Como em tantos outros, no relatório seria escrito: "Serviço sem novidade".

Das ocorrências

Foi assim que, aproveitando o meu treino etnográfico, comecei a interessar-me pelas classificações subjetivas de agentes em relação ao seu trabalho diário. Como me disseram, há como que uma série de atividades irrecusáveis que são incorporadas na profissão de um agente de esquadra. Os polícias consideram-nas situações obrigatórias, compostas essencialmente por diligências judiciais ou ordens de comando superior, e que eles são obrigados a executar. Ir a um cadáver figura entre esse tipo de situação. Num outro sentido, muito do que diz respeito à gestão quotidiana da ordem pública transpõe o domínio das ocorrências que, embora convoquem presença e mediação policial, são consideradas pelos agentes como pouco importantes . Afastar um mendigo de uma caixa multibanco, ouvir queixas de barulho por parte de vizinhos irritados ou tentar minimizar desacatos entre grupos de adolescentes embriagados durante a madrugada, é parte do *curriculum* policial das ruas.

Não me espantei ao ouvir falar e acompanhar aquelas que os agentes diziam ser ocorrências verdadeiramente policiais, as que os engolfam numa adrenalina juvenil sem igual. São as chamadas para ocorrências que lhes parecem dar em alguma coisa, tais como as que são transportadas pela voz metálica do rádio-patrulha: *"Na rua Saraiva de Carvalho está um jovem a forçar a porta de um prédio"* ou *"É preciso interceptar uma viatura em fuga"*. As perseguições interrompem turnos marcados pelo tédio imposto da vigilância distante, expectante, enfadonha. Mas os agentes são advertidos a não entrar por iniciativa, e sem o assentimento dos superiores, nessas buscas policiais, perigosas e barulhentas. Um efémero momento pode fazê-los perder o controle e, eventualmente, disparar. E, todavia, os agentes ficam imediatamente provocados ao ouvir pelo rádio-patrulha uma chamada que promete uma caça ao homem. Só a solidariedade com um colega em apuros suplanta, em rapidez de resposta, qualquer outra situação operacional. Nenhum agente deve saltar fora de uma manifesta camaradagem quando algum colega, amigo, ou não, do mesmo grupo de turno ou outro, precisa de apoio e reforço. Os braços da solidariedade podem mesmo chegar a outros fardados e a outros colegas do sistema de justiça criminal.

Os bons serviços, aqueles que se festejam, também podem ter desenlaces singulares. Surpreender alguém a assaltar um carro em flagrante ou conseguir identificar pela matrícula e confirmar na base de dados um carro furtado, dá a hipotese de brilhar. Uma vez vi como um senhor de 60 anos se abraçou, choroso, a um agente que o notificou e o fez vir à esquadra de noite reaver o seu fiat 500. Um bom serviço envolve em geral trabalho intuitivo, uma inteligência prática e a capacidade de executar o relato escrito. Ali se concentra um tipo de adivinhação dos problemas das ruas. É assim que o sentimento de suspeição, que a todos inevitavelmente envolve, finalmente adquire forma e substância. Não são poucos os polícias que dizem não se poder confiar em ninguém, nem mesmo nos colegas, e nem mesmo nos parentes próximos. Durante um período de dias acompanhei na esquadra os afazeres da elegante chefe Rosa, de 38 anos, olhos grandes e sorriso titubeante. Confidenciou-me, certa vez, que talvez ser polícia a tivesse afastado da família já que, sem razão aparente, insistia, era-lhe difícil confiar no seu próprio pai. Tornara-se uma mulher fria, reconheceu. Apreciava ter sido uma das poucas mulheres a passar pelo piquete, como são conhecidos os que se locomovem em carrinhas que têm um serviço de intervenção rápida, complementado, em situações de desordem, pelo Corpo de Intervenção. Disse-me que, depois dela, fecharam as portas às agentes e transformaram as carrinhas num clube de rapazes. Por entre o parado das horas de uma longa madrugada, surpreendi-a a ler "Nana", de Émile Zola. Recomendara-lho uma amiga. Tinha esperança de poder vir a compreender melhor a espécie humana. Um ano mais tarde soube do seu suicídio. Em 30/01/2004, o jornal Público noticiava: *"Taxa de suicídios entre os polícias é o triplo da média nacional"*. Não há confirmações ou informações oficiais a este respeito.

Executar uma detenção difícil e improvável, em esquadras onde os recursos da ação são sobretudo preventivos, pode vir a oferecer recompensas de carreira e louvores dos superiores aos agentes envolvidos. Ou pode, tão simplesmente, lembrar o remoto e mítico heroicismo do agente anónimo. Os polícias são hoje funcionários de um estado democrático com horários de escalas fixas, mais controlados pelo aparelho administrativo do que pelas chefias. Mas, talvez para justificar a escolha ocupacional e o estatuto de exceção, o imaginário do agente disponível, banhado por uma espécie de supremacia moral, continua a ser veiculado pela PSP. Em março de 2007, visitei a Segurex, o salão internacional de proteção e segurança que acontece todos os anos no Parque das Nações, em Lisboa. Estava na companhia de um agente. Ele interessou-se pelos aparatos do centro de inativação de explosivos e segurança em subsolo e pelos estranhos apetrechos paramilitares da marca Milicia. Eu ficaria refém das narrativas honradas expostas pela PSP. Chamou-me a atenção uma foto de cor púrpura onde se via um homem vestido de preto a mergulhar num rio. Uma história acompanhava a impressionante imagem produzida em photoshop por algum agente a trabalhar na DN, que saiu das ruas e conhece alguma coisa de artes gráficas: "*O ano de 1997 estava à beira do fim. Faltavam três dias para o Natal. Por isso, as frias águas do rio Arade, em Silves, não convidavam ao mergulho. Passeando pela margem, o guarda-principal Carlos Sequeira, do Comando de Faro, gozava o seu dia de folga quando ouviu gritos de aflição. Várias pessoas, em grande alvoroço, clamavam por socorro (...). Sem tempo a perder, o guarda Sequeira lançou-se à água e, nadando com vigor, conseguiu aproximar-se da vítima, agarrá-la e arrastá-la para terra. O agente policial dificilmente esquecerá este dia. Nem a senhora, de 86 anos, salva no último momento de uma trágica morte por afogamento*". Ocorrências desta natureza, que envolvem sérios riscos para a vida, são distinguidos com a Medalha de Segurança, um prémio atribuído pelo Ministro da Adminsitração Interna sob proposta do Diretor Nacional da PSP. Todos os anos, no dia da Polícia, são atribuídos vários prémios e louvores a agentes e chefes que se destacam no curso da sua atividade.

Estas são as narrativas do polícia bom samaritano. Muitos agentes não acreditam nelas. Sabem de cor a diferença entre ideais e a espuma dos dias. Porém, os considerados bons serviços, aqueles que não se restringem às boas ações, são inegavelmente os que resistem mais tempo nas memórias coletivas. Circulam por intermédio de histórias que se contam entre uns e outros nas esquadras, até serem esquecidos e renovados por outros acontecimentos, outras histórias de semelhante cariz. O que eu talvez não esperasse é que algumas das ações dos polícias de esquadra, consideradas genericamente assistenciais, me levassem a não poder fazer outra coisa se não a deixar-me afetar por elas, parafraseando a antropóloga Jeanne Favret-Saada. Tudo, dali em diante, seria diferente. Prometi a mim mesma que o meu texto se encheria de almas.

Institucionalizar pessoas

No dia 14 de julho de 2004 acompanhei os agentes num despejo de uma mulher cabo-verdiana, seguido da institucionalização da filha de 5 anos num centro de acolhimento temporário de crianças. O dia amanheceu calmo e o céu já alto e muito azul sobre as águas calmas e pachorentas do Tejo ofereciam-nos um cenário das belas colinas de Campo de Ourique, apenas ligeiramente ofuscado pelos 40°C de calor. Logo depois de dar entrada na esquadra às 7 horas, com os agentes Conceição e Magda no grupo Delta, dirigimo--nos à sede da divisão, ao largo do Calvário, para começar o dia bebericando um fervente galão escuro e pão com fiambre. Como em vários outros estabelecimentos de polícia com certa dimensão, somos servidos por agentes principais entre os 40 e os 50 anos que, por uma razão ou outra, se retiraram da vida operacional para assumir o que, genericamente, se consideram funções de apoio. E não são poucos os agentes das esquadras em volta que ali vão merendar. Além da distração e do convívio entre fardas, este serviço fica muito mais barato. Quando se sai do último serviço de turno de madrugada, da 1h às 7h, sente-se o cansaço dos elementos e um ambiente mais pesado ou uma descontração menos vulgar. Estão os sonos todos trocados, fruto de quatro longas madrugadas a pé.

Comemora-se o Dia Nacional da PSP. Ao chegarmos à esquadra, pelas 8 horas, participamos na tíbia cerimónia local, com o içar da bandeira no exterior, formatura dos agentes do grupo no interior e leitura em voz alta, pelo comandante, da mensagem do Director Nacional. "*É igual ao ano passado. É sempre a mesma coisa. Fala, fala e não dá meios*", Magda sussurra no meu ouvido. A ritualização local contrasta com as comemorações bem compostas ao estilo de parada militar, com palanques para entidades, convidados solenes e jornalistas em frente ao Mosteiro dos Jerónimos.

O relógio bate quase as 9 horas quando chega à esquadra uma diligência para uma ação de despejo na área. É trabalho para o carro-patrulha, ordena o comandante. O Conceição conduz e a Magda, que está hoje na posição de arvorado, será a responsável pela gestão da ocorrência. Conceição é careca, alto, possui um olhar meigo e sotaque alentejano. Tem 30 anos e trabalha desde os 25 na PSP, nesta esquadra. Magda, conhecida por loirinha, é uma das poucas agentes femininas que se mantém alerta e viva na patrulha, com 29 anos e desde os 26 nesta esquadra. As demais colegas ou estão nos serviços da proximidade ou em alguma secretaria da PSP, na capital ou pelo país fora.

"*Vai ser preciso levar um tripulante, para se a coisa se complicar*", diz agora o graduado de serviço do Delta, que se apressa a indicar o agente Matias, também com 29 anos e três de esquadra, prestes a ser transferido para outra unidade. O encorpado e imenso Matias, nos seus quase dois metros de altura, é escolhido por falar crioulo. É nado e criado em Almada, na margem sul, não escondendo a sua origem familiar cabo-verdiana. Diz o graduado que ele já foi várias vezes a esta casa e conhece a mulher, que dizem ser negra. De ombros caídos, mas num tom provocatório, Matias reclama: "*Logo no meu penúltimo dia de trabalho nesta esquadra calha-me este bico de obra*". Dois colegas ladeiam-no e, rindo, asseguram, sem grande convicção, *"vai correr tudo bem"*. Entramos os quatro no carro-patrulha.

O carro vai pela estrada do Loureiro e passa em várias ladeiras e estreitas vielas de piso empedrado. Em alguns trechos parece que recuamos a paisagens rurais do século XIX. Devagar, e com extrema habilidade, estacionamos antes do velho portão preso por arames que, ao ser transposto, nos leva a uma antiga vila operária, com umas dez casinhas térreas minúsculas (não mais de 20 m² cada), dispostas em fila lado a lado, umas mais degradadas que outras. Não consigo identificar o nome do lugar que conserva uma aparente calma bucólica. Debruçamo-nos num pequeno muro sobre a Maria Pia, a maior rua em comprimento da cidade de Lisboa, aquela que foi, em tempos, a primeira circular a determinar os limites da cidade. Estamos em plena encosta operária, pós-industrial, de barracas, demolida, reabilitada, reerguida, realojada – mas onde o pequeno tráfico de varejo, e o estigma policial, insistem em morar. Vidas e famílias que são memorizadas na monografia sociológica de Miguel Chaves sobre o Casal Ventoso e no fado da Meia-Laranja, nessa arrebatadora interpretação de José Manuel Osório: *"Ali à Meia Laranja / Meio inferno de Lisboa / Onde a morte anda a viver (...) / Há milhares de olhos baços / A vida tem tantos braços / Para a morte se esconder... E nas veias da tristeza / Tantas facas de pobreza / Ali à Meia Laranja"*.

Magda diz-me que este é um daqueles lugares onde a polícia só vai se for chamada. De facto, em vários meses de patrulha, eu nunca ali estivera. O despejo está marcado para as 10 horas e, pontualmente, ali estamos. Enquanto esperamos, volteamos pelas redondezas, ouvimos os pássaros, falamos sem grande empenho. O atraso impacienta, mas da esquadra dizem que é para esperar. Já perto das 11 horas chegam finalmente os agentes oficiosos, acompanhados por dois proprietários, uma mulher, um homem e ainda o advogado. Invadem o espaço com o ar afogueado de quem quer resolver rapidamente o assunto, em contraste com a disposição aparentemente calma dos polícias, que ainda tateiam como fazer. "*Já viste o Sr. Dr.?*", irrita-se Conceição em surdina, referindo-se ao advogado. "*Está-se nas tintas, quer é o seu* [dinheiro]". Os advogados não são figuras apreciadas entre os polícias.

"*A casa que vai ser mexida*", ouço alguém dizer. O agente Matias toma a dianteira da situação. Fico o mais perto dele que posso. Mas uma simples batida na porta seria avassalada pela dureza dos eventos que se seguiram. Quando a porta se abre é impossível não notar o cheiro metálico a lixo. Lá dentro, a casa está escura e pesada. Vejo apenas que tem um amontoado de garrafões de água vazios e algumas peças de lego caídas no corredor que vai dar à única divisão da casa, um quarto interior sem janela, dizem-me depois. Ficamos também a saber que foi cortada não só a água canalizada mas também a luz e o gás. Uma franzina mulher, com 30 anos a caminhar para os 40, abre a porta devagar. Vestida com roupas claras e de olhar denso, é visível o esforço para não perder a pose digna em frente ao conjunto de autoridades. Sinto, atrás de nós, os esgares incomodados dos proprietários, desejosos de proferir insultos mas mantendo-se quietos por orientação gestual dos outros dois polícias. Matias avisa-a que vai ter de sair; é uma ação de despejo. Ela defende se, alegando que há com certeza algum mal-entendido, que os pais lhe enviam todos os meses o dinheiro da renda e que os proprietários mentem, "*esta casa é minha*", afirma. De vez em quando interrompe o discurso com os agentes e envolve-se em conversas com pessoas ou entidades imaginárias, num crioulo que inclui palavras em francês. Um vizinho aproxima-se da porta e diz a Matias e a mim, discretamente, que ela foi roubada, que terá sido um outro vizinho: "*Ela vive há três anos e só há pouco tempo, depois de começarem a roubá-la, começou a passar-se; ela não é má, cuida muito bem da filha"*. Nesse instante vê-se aparecer a criança, que espreita do interior da casa. O agente procura anotar as identificações pessoais. A mulher, na sua revolta, não quer dizer o nome. O agente pergunta em que ano nasceu. Esta insiste que foi em 1771. Vai buscar um papel e diz que os dados da identificação estão todos falsos, risca-os. A preocupação dos agentes mantém-se, é retirar identificações e conseguir os documentos que, se forem fotocópias, levarão com eles para a esquadra.

As informações sobrepõe-se e contradizem o vizinho. *"Esta situação já está sinalizada"*, sibila-me a agente Magda, *"esta mulher é conhecida da polícia porque provoca distúrbios e desordens, ameaça vizinhos, é vista a falar com espíritos durante a madrugada. Toda a gente diz que arreia na filha. A Proteção de Menores está a par. Na PSP foram feitas diversas informações e participações sobre o caso. A filha não pode ficar nesta casa que parece uma lixeira. Ainda por cima esta casa vai deixar de as abrigar"*. Magda está determinada. Diz que de hoje não passa, que até aqui têm existido contatos com as instituições, mas ninguém se atreveu a fazer nada. Considera já ir tarde no caso da filha, sendo completamente insolúvel o caso da mãe. A preocupação é *"institucionalizar ambas e depois é lá com eles; o nosso trabalho é retirar as pessoas da casa e dar o encaminhamento"*.

Entretanto, ouvimos pelo rádio que o carro-patrulha da esquadra vizinha, com o código 44.26 (o número da divisão seguido do da esquadra) é encaminhado para o Alto da Ajuda. Ao longe vemos o fumo. É um incêndio. O mundo em pedaços, lembro-me de pensar, com as pernas a tremer.

De dentro de casa a criança olha em volta, esperta. Está preocupada com a mãe, ciranda em volta dela. Pede-lhe que volte para casa. Percebe que algo está muito errado. Apesar da insistência dos agentes, a mãe recusa-se a sair. Os agentes recuam para conversar entre eles. Percebo que decidem não agir com força *"porque"*, dizem, *"há uma criança envolvida"*. Magda decide chamar o seu supervisor ao local, o único chefe que também ronda a rua. A situação exige o apoio de uma chefia, mas nem pensar em convocar um oficial de dia, para não complicar. O oficial de justiça vai escrevendo o expediente e diz que irá informar que *"a pessoa teve comportamentos violentos, recusando-se a sair"*. Os polícias não lhe oferecem grande atenção. Passados uns minutos, o supervisor chega ao local com uma pergunta na ponta da língua: *"Ela está alienada?"*. Percebo que, dessa forma, a polícia pode fazer uso legítimo do dispositivo de internamento compulsivo. Mas a situação não é clara, admitem (alguma vez o será?).

No local, os agentes dizem que vai ser preciso tirar a criança à mãe. Fazem perguntas breves a outros vizinhos. Alguns apressam-se a dizer que ela bate na criança e que não aceita comida de ninguém. Noto que o primeiro vizinho a contatar-nos se silencia, talvez por medo. A mulher grita: *"Não quero a ajuda dos portugueses; não sou amiga dos polícias"*. A situação chega ao impasse de ser obrigatório agir, mas nenhum dos agentes parece motivado a avançar. Os agentes comentam para o lado que *"é complicado, aqui com a menor"*. Os proprietários dizem que tanto lhes dá, com crianças ou sem crianças; querem a casa. Tentam aproximar-se da entrada e tecem comentários à miséria, mas os polícias, num gesto, afastam-nos. Evitam o diálogo e nem os olham. O oficial de justiça consulta o advogado, faz telefonemas e dá o veredicto: *"É mesmo para despejar"*. A mulher, cujo nome não ouvimos, grita em desespero, e a filha, cada vez mais ansiosa, empurra a mãe para dentro de casa. O Conceição e o Matias vão atrás, agarram-na e carregam-na com a força dos braços para a rua, algemando-a. A criança corre para a mãe, grita e reage batendo neles: *"Larga a minha mãe, não magoa a minha mãe...*" O supervisor determina que mantenham a pequena junto à mãe, até ver o que dá.

Excecionalmente sigo no carro-patrulha no lugar do arvorado, porque a Magda acompanha atrás a mãe e a filha. Quando chegamos à esquadra, a mulher e a criança são deixadas nos bancos metálicos do hall à guarda da sentinela. As algemas são retiradas. Nos primeiros momentos, a criança está visivelmente assustada. Tem o lábio ferido, um encontrão acidental que levou dos polícias quando seguravam a mãe à força . A mãe permanece com a criança ao colo enquanto fala sozinha e procura acalmar-se. Durante todo o tempo que ali estamos quase não há contatos entre elas os polícias. Está um ambiente confuso de entradas e saídas: é a hora da rendição.

É preciso escrever, dar início ao processo. "*Nomes, por favor?*". A mãe é a Maria e a filha a Dória. O comandante aparece do seu gabinete e procura avaliar o estado da mulher, falando com ela. Diz que ela está consciente e que não sabe se dará para a internar compulsivamente. Mas a agente Magda prossegue com os contatos, que entretanto iniciou, junto ao graduado de serviço. Recusa aceitar o veredicto do superior e acaba por conseguir, em tempo *record*, encaminhar os "*dois casos*", como diz. A Dória vai para uma instituição de acolhimento temporário. É aceite porque foi emitido pelo juiz o mandado de condução da menor. É também acionada a ordem para o internamento compulsivo da mãe. Magda está convencida que esta é a melhor forma de resolver o assunto: "*E é preciso institucionalizar a menor*".

Como está na hora de mudar de turno, o comandante decide que este serviço vai seguir com os agentes do grupo seguinte. No caso das detenções, é comum os mesmos agentes prosseguirem com o caso e prolongarem o turno. Mas, daqui em diante, este é considerado, do ponto de vista administrativo, um serviço de encaminhamento, da ordem da diligência e, por isso, simples. Movida por um impulso, decido intervir na situação. Pergunto à adjunta do comandante se posso ir a casa buscar umas camisolas e um brinquedo da minha filha de 5 anos para a criança. Argumento que ajudará a atenuar os efeitos da separação. *"Não se me meta nisso! Não vai adiantar nada e assim como ela está, apenas com uns calções e sem camisola, até dá mais impacto na instituição",* diz-me. Com a conivência do chefe e de dois agentes que acompanhei, mantenho o meu plano. Vou a casa e volto com duas camisolas e um urso de peluche.

Consternado, o jovem Caetano, um agente que foi pai recentemente, diz *"Isto parte o coração, ver arrancar uma filha a uma mãe".* Dois agentes mais rodados, e o próprio supervisor que foi ao local, asseguram: *"É melhor assim. É pior se ela ficar com a mãe. Vai ter técnicos especializados que fazem o acompanhamento".* Ninguém fala do que seria melhor para a mãe, Maria... Na sala do graduado, três novos agentes e um chefe discutem como será efetuada a diligência. O comandante incumbe o Cruz, agente do novo grupo. Este diz que só não quer problemas e que prefere levar uma de cada vez. Mas lá se acerta que deve ser tudo feito de uma só vez; ele vai levar primeiro a mãe ao hospital psiquiátrico e depois a filha à instituição. *"Vai ser dura, a separação",* alguém comenta. Ninguém lhes disse nada a elas. Pergunto quando serão informadas. Todos se escusam: *"Elas não iriam entender".*

Antes de se ir desfardar a Magda diz-me: *"Tudo o que envolve menores vem ter comigo, já não é a primeira vez."* Diz que não sabe onde vai buscar as forças e recorda em particular os olhos da Dória, em lágrimas, que à porta de casa lhe terá pedido *"Não leves a minha mãe para o hospital".* Passados uns minutos, o marido da Magda, também agente, chega à esquadra para a ir buscar, tendo também ele saído do seu turno. *"Ela atrasou-se com o serviço",* informam os colegas. Quando Magda aparece, o marido Miguel adverte em voz alta: *"Vê lá não me leves para casa o serviço. Não te envolvas. Já te estou a avisar"*. Magda sorri e parte com ele de braço dado. *"Até amanhã"*.

Passado uma hora e meia, desde que chegámos à esquadra, a tripulação do carro-patrulha sai novamente para a rua. Sigo no banco de trás, ao lado da Maria, da Dória e de um outro agente. Estamos a caminho quando recebemos, via rádio, a informação para regressar à esquadra. Aguardam-nos dois colegas dos serviços de fiscalização da sede da divisão. São eles quem tem o mandado de condução para a criança. Seguem à nossa frente num carro policial descaracterizado. Há uma divisão prevista do trabalho nestes casos. A condução de alienados ao hospital psiquiátrico tende a ficar a cargo dos patrulheiros, e a condução de menores, a cargo dos agentes das fiscalizações. Os patrulheiros costumam dizer que *"Ninguém quer ficar com os alienados e por isso os mandam para a patrulha; somos pau para toda a obra."* Em qualquer caso, asseguram que estas situações de condução raramente envolvem assistentes sociais. No caminho, Maria e Dória seguem abraçadas. A mulher não abre a boca. Noto que aponta para a igreja e olha a filha. Trocam sorrisos. Passamos ao lado de um supermercado de bairro e Dória exclama com entusiasmo: *"Mãe, olha o Minipreço"*. A viagem é estranhamente amena. Música a dar no rádio e o sol intenso do Verão a aquecer as nossas peles. Atormenta-me que ambas não saibam o que as espera.

Chegamos ao hospital Miguel Bombarda. O carro pára à porta e aguardamos enquanto o Cruz e um colega vão saber quem receberá Maria. Seguimos todos pelos corredores das urgências da psiquiatria. Maria e Dória sempre juntas. Esperamos pelo médico sentados nos bancos azuis de plástico numa confinada sala de espera. Nesta altura, um dos agentes da fiscalização confidencia-me que a separação não vai ser nada fácil, "*é que elas são muito próximas*". O médico chega e manda a mãe entrar para um gabinete. Dória acompanha-a. Sai escassos minutos depois com o quadro clínico. Oiço-o dizer que envolve psicose: "*Ela está para lá de Bagdad, fala com espíritos...*". Já não sai do hospital. As enfermeiras falam com os polícias; vão precisar da sua força. O Cruz pede luvas "*Não vá ela ferir-se*". Quando as enfermeiras veem a criança, abanam a cabeça em sinal de desaprovação. De repente, a Maria é puxada para um lado, a Dória para o outro. Ambas gritam. Os polícias fardados agarram a mulher e forçam-na a ficar; os polícias civis agarram na filha e partem. A Dória vem aos gritos a dizer que a mãe está a chamar por ela. Já não oiço a mãe gritar, mas a dor de ambas crava-se no espaço. É um caminho longo e tortuoso nos corredores do hospital que levam até ao carro. Dois polícias carregam ao colo uma criança em pânico. Os momentos seguintes são ocupados por silêncios comprometedores.

Seguimos agora até à instituição de acolhimento temporário. No carro a situação obriga-me a assumir um papel mais ativo: seguro a Dória, amparo-a, dou-lhe o colo, os braços, as mãos... Vai o caminho todo a pedir ajuda: "*Parem o carro, a minha mãe está a chamar; os polícias levaram a mãe?*; *quero ir para casa... vou mais cedo... tenho de proteger a minha mãe... quero sentir a minha caminha... quero comer com a mãe...*". Ao aconchegá-la sinto as suas batidas cardíacas no meu peito. Dou-lhe o urso, que ela agarra com força e aperta, e visto-lhe a camisola quando ela manifesta sentir muito frio. Nesta altura apercebo-me que, inadvertidamente, lhe trouxe uma t-shirt do campeonato de futebol *Euro 2004*, um evento de riqueza deste país europeu, na altura bem alheio à crise e à austeridade que veio a apertá-lo alguns anos mais tarde.

Chegados ao centro de acolhimento temporário de crianças, os vigilantes à porta fazem-nos sentir que não estamos numa escola e que também não é, claramente, um lar. Fico com a Dória de mão dada à porta e sento-me com ela no banco de napa castanho. Dou-lhe as coisas que tenho para ela. Agarra-as contra si. É levada por uma jovem rapariga sem demoras. Ela é obediente. De olhos sempre bem abertos e sem uma lágrima. Só dá tempo para informar que deve ter fome. A jovem dirige-se a ela pelo primeiro nome, Lina. Lembro-me, subitamente, de um agente na esquadra lhe ter perguntado se preferia ser Lina (o primeiro nome) ou Dória (o segundo)... E digo, já de raspão e sem ser ouvida, segue a jovem com a Dória no corredor: *"Mas olhe que ela prefere que lhe chamem Dória..."* A diretora do centro recebe o agente (e eu sigo-o) numa sala despida de decoração. Explica: "É provável que a criança resida aqui uma média de 6 meses. Vai ser estudado o seu *projeto de vida. Ou volta para a mãe ou vai para uma casa de acolhimento da Misericórdia de Lisboa, talvez para adoção, ou vai para a Casa Pia"*. A PSP termina aqui o seu serviço; agora é a vez dos tribunais.

No caminho de regresso à área da divisão vou no carro dos agentes da fiscalização. O condutor desabafa: *"Deem-me criminosos, deem-me gajos perigosos. Prefiro transportar esses do que crianças."* O agente que tomou conta do processo fala um pouco do seu jeito e maneirismos: *"Gosto de tratar as pessoas por tu. É o meu método de trabalho, para perceberem que os polícias não são nenhuns papões. Somos acessíveis, dialogamos. Mas claro que quando é preciso dar um estalo, também tem de ser dado. Tive aí situações que passei um dia inteiro sem conseguir arranjar solução. Ninguém queria ficar com as crianças. Também na altura tinha pouca experiência. Depois comecei a mexer-me melhor. Só me perguntava como é que a polícia aceita fazer este trabalho se não tem as condições necessárias para o fazer. Mas aqui somos obrigados a fazer de tudo. E eu reconheço que me falta preparação para este trabalho, reconheço"*. Voltando ao bairro, passamos por umas mulheres que descem a rua Maria Pia em direção a um lugar que os polícias identificam como sendo o coração do tráfico e consumo de drogas da região. O agente que vai ao lado do condutor diz: "*Lá vai a Lara. Se for preciso fecha o filho em casa para andar aqui. Qualquer dia vou ter de lá ir para uma conversinha com ela*".

Os agentes estacionam e deixam-me à porta da esquadra. Entro e usufruo da calma do momento antes de regressar a casa. Sento-me ao pé de dois patrulheiros que estão a par do ocorrido. Preciso de conversar e eles sabem. A agente Telma avança: "*Agora é preciso desligar... Para nós, mulheres, o pior é o que envolve crianças e idosos, mas agora tens de seguir com a tua vida*". E recorda outras situações complicadas: "*Eu fico três dias a pensar nas coisas e sofro muito. O Godinho, o meu marido*", que também é polícia, "*ralha sempre comigo, diz que não pode ser, que tenho de desligar.*" A situação fá-la lembrar-se de uma romena que vivia na rua com um filho pequeno. "*Liguei para todas as instituições e ninguém quis ficar com o bebé porque estava bem tratado. A mulher vivia na rua e estava muito doente. Estes miúdos são todos assim, como essa miúda, a Dória, são espertos. Parece que é Deus que os protege.*" O colega, à banca, aconselha: "*Toma um banho para tirar o cheiro e vai para os copos. Nós convivemos e bebemos. É o remédio para estes males. Depois, o tempo limpa tudo.*"

Quando mergulhei na realidade do policiamento de esquadra em Portugal saboreei o que Frederick Wiseman, referindo-o uma vez mais, comentava em 1969 sobre o que testemunhara durante as filmagens do seu documentário "*Law and Order*", passado no departamento policial do Missouri, na cidade do Kansas. Li-o numa obra publicada pela cinemateca portuguesa em 1994. Wiseman diz que viu os polícias fazerem coisas deploráveis e coisas decentes. O que mais o impressionou não foi tanto a brutalidade da polícia mas sim os atos de violência que viu as pessoas cometerem, umas contra às outras, nas ruas. Os polícias estavam no meio e esperava-se que reagissem. Wiseman não condenaria, necessariamente, as ações destes, mas agora tinha uma chave para compreender o seu medo. Também eu percebi, ao frequentar a esquadra de polícia, que a palavra assistencial, as situações assistenciais a que se referem os agentes, aparentemente neutras, são aquelas que mais escondem e carregam o perigo, esse mesmo que eu experimentei, o sufoco provocado pelos eventos críticos do quotidiano. Acompanhar alguém em aflição gera piedade, essa *"disposição conveniente a seres tão fracos e sujeitos a tantos males como o somos"*, como disse Jean-Jacques Rousseau no *"Discurso sobre a origem e o fundamento da desigualdade entre os homens"*, publicado originalmente em 1750.

Como seria de esperar depois deste evento, estive um par de dias sem conseguir regressar à esquadra. Quando finalmente encontrei coragem, lá estava eu, de novo, para acompanhar das 14h às 19h mais um turno do grupo Charlie.

Histórias de polícias

A mesa está posta para dez pessoas. Nesse mês de março, quase na transição do inverno para a primavera, seguimos a pé até um restaurante relativamente chique do bairro, chamado Correio, a 500 metros de distância da esquadra. Os comandantes frequentam--no com regularidade, os agentes, só em dias de festa. *"Tenho aqui uma rica feijoada, feita de propósito para todos vós, meus senhores"*, diz o proprietário, julgando-se íntimo dos superiores. O tratamento é marcado por um ambiente masculino e caloroso, mas sem demonstrações de grande afeto. Festeja-se a partida do agente Alvarez, bracarense de 28 anos, cinco de polícia na esquadra. Não que haja uma combinação e plano prévios. Nunca se sabe quem pode e quem não pode nesta vida de turnos e também, com tantas trocas e permutas, é fácil perder o rasto dos colegas. A maioria dos agentes deslocados na esquadra habituou-se a concentrar o maior tempo permitido de trabalho para poder ir à sua terra natal com um bom intervalo de folga que justifique o gasto em gasolina, mas sempre com o assentimento formal do comandante. Não se sobrevive numa esquadra sem a manufaturada caderneta de bolso, uma espécie de agenda de polícia onde se apontam as escalas fixas e as trocas. Cedo recebi e minha e, tal como os agentes, andava sempre com ela no bolso. Para ser honesta, a caderneta sempre pareceu ser para os agentes quase tão importante como a arma, de marca Walter, calibre 7, 65 mm e 8 munições e que é distribuída com um número de série a cada um.

Chego ao restaurante primeiro, na companhia do subcomissário, da adjunta e do Alvarez. A par e passo vão chegando outros colegas desfardados do grupo do Alvarez, um amigo de uma outra esquadra e um agente do piquete. O serviço de piquete organiza-se em secções que se revezam, como os grupos das esquadras, mas onde cada uma tem oito a dez agentes, em geral mais do que um grupo nas esquadras, e trabalham em turnos de 12 a 24 horas. O piquete conseguiu uma esquadra na Quinta do Cabrinha, um bairro considerado problemático que realojou os despejados do Casal Ventoso. Os agentes e um chefe circulam em carrinhas que por serem gradeadas na dianteira são, ironicamente, chamadas de fritadeiras pelos patrulheiros. O pessoal do piquete assume todo um ar ostensivo, e cada um deles é reconhecido por ser homem e mais alto e espadaúdo que o comum dos agentes. Por não serem uma unidade de atendimento, os agentes do piquete completam o expediente nas esquadras da divisão, o que os leva a angariar amigos nas esquadras. A meio do almoço aparecem outros três patrulheiros que se ajeitam na mesa e ainda comem. Adormeceram.

Alvarez

O Alvarez foi um dos primeiros agentes que conheci, na época com 28 anos. Aceitou contar-me a sua história, sobre a qual falámos quase seis horas ininterruptas sentados numa mesa na parte debaixo da esquadra. Dali podíamos escutar o barulho das botas a pisotear o chão ao estilo militar. Alto, de cabelo e pele clara e olhar direto, mantinha um ar cansado. Percebi porquê quando me falou da mulher doente, auxiliar em educação infantil de crianças com deficiência, e da filha de nove anos, ambas à sua espera numa periferia perto de Braga. Conhecia mal a filha. Era ainda pequena quando ele veio trabalhar para a capital, a 400 km de distância. Acontecia desde 1998, ano em que ingressou na PSP com o ensino secundário incompleto. Viviam todos do seu salário mensal, de pouco mais de 800 euros, ao qual acresciam os 400 euros ganhos pela mulher. Desses, 250 euros eram retirados à cabeça para as viagens. Tinha a sorte de poder dormir nas camaratas das esquadras e, também, por entrar no subsistema dos remunerados, serviços privados fornecidos pela PSP que sempre acrescentavam qualquer coisa ao ganho. Foi colocado na 24ª esquadra e ali permaneceu até ao dia em que na DN decidiram considerar válida a sua exposição, após terem recusado um primeiro pedido de transferência. Estava a caminho do Comando Metropolitano do Porto. O seu plano era, ao longo dos anos, ir-se aproximando de casa. Mas sentia-se assombrado: a sua situação era excecional. Durante anos teria de pedir com frequência a renovação da autorização, por via administrativa e, se necessário fosse, voltaria para a capital. Ao contrário de muitos colegas teve a sorte de arrepiar caminho, pois o recurso à transferência antecipada é, muitas vezes, utilizado pelos comandantes para afastar agentes indesejados.

Como muitos, antes de entrar na organização, o Alvarez já transportava uma trajetória laboral. Passou pelo serviço militar obrigatório e trabalhou numa prisão. No ano em que esteve desempregado a namorada engravidou e juntaram os trapinhos, como dizia. Tentou a PSP mas nada. Tinha a filha dois meses. Passou por uma sequência de ocupações: foi auxiliar de educação numa escola de ensino especial, repositor de produto numa grande superfície, empregado de balcão numa loja. O que mais o aliciou foi ter sido animador de rua durante três anos. *"Estive do lado dos bandidos e agora estou do lado da lei"*, dizia, arreganhando a taxa. À segunda tentativa para a PSP, foi de vez. Tinha a filha 3 anos. Com certa dose de cinismo atribui o sucesso da tentativa ao facto de na entrevista ter deixado de lado as motivações pessoais e afirmar *"o que eles queriam ouvir, que sentia um apelo pela farda"*. Não tinha precedentes policiais na família. Para alguém que nascera toda a vida em bairros problemáticos das imediações de Braga, um emprego seguro no Estado era a sua mira e a de sua mãe para o filho. O pai não gostava de fardas. Lembrava-se bem do tempo em que os "pides" vigiavam os trabalhadores do têxtil, como ele. Acabou por se conformar e pedir ao filho algo que seria para este um lema de vida: *"Dá um prestígio ao que fizeres; se fores correto e honesto com os cidadãos, vão reconhecer-te e dar-te valor"*. Mesmo assim, o serviço policial invadir-lhe-ia a vida. Como vivia e dormia na esquadra, passava as folgas a trabalhar no carro-patrulha, a pé, ou nos serviços da proximidade, onde deixou a sua marca. Recuperar a identidade pessoal, e ajustá-la à profissional era, agora, vital. Experimentava dois medos: a despedida dos colegas, que se tornaram sua família, e o pavor do regresso a uma rotina da qual esteve ausente seis anos – essa outra família.

O subcomissário está sentado em frente ao homenageado. Sem dar muito nas vistas resolve perguntar: *"Ó Alvarez, diga lá afinal quem é a sua cunha..."*. O Alvarez finge-se surpreendido e ironiza: *"O mais estranho é que há quem diga que é o senhor, subcomissário."* Quem ouve desata a rir. Finalmente todos se apercebem da conversa e o comandante pode agora falar de viva voz. Pode fazer a piada marcada pela amargura que muitos partilham: o desejo de serem transferidos para mais perto da região de origem onde têm casa, mulher, filhos e outros parentes. *"Essa é boa! Conseguia para si e não conseguia para mim"*. O Alvarez adota então o tom compassivo e empático dos aliviados: *"Deixe lá, Sub, não se preocupe, um dia há-de chegar a sua vez, vai ver"*, ao que o Subcomissário responde: *"Deus o oiça. Isso era o que eu mais queria na vida, ver-me longe daqui"*.

O Comandante Leite é de Lamego. Ali passou a maior parte da sua vida ativa, primeiro como agente e depois como chefe, até se decidir por uma promoção que durante um par de anos o fez regressar aos estudos policiais, ao ISCPSI. Fez um curso de atualização para oficial durante ano e meio. Esta foi uma das últimas oportunidades oferecidas pela PSP a chefes que, com mais ambição e treino de comando, quisessem progredir para a carreira de oficiais, cumprindo novas exigências dos estatutos de pessoal. Por ingressar num novo ramo da carreira, teve que recomeçar todo o processo de ajuste a uma vaga nas suas novas funções de comando. No seu caso, isso significaria passar um tempo indeterminado em Lisboa. Por um lado, sentia-se um oficial coxo, pois apenas tinha ano e meio dos cinco anos de formação académica exigida aos mais jovens oficiais que ingressam no curso, não tendo passado pela Polícia. Por outro lado, sabia que a sua experiência da patrulha e dos domínios administrativos era valorosa. Congratulava-se por saber mais do que os oficiais mais novatos, chamados de passarinhos por alguns agentes, tanto à chegada como nos primeiros anos de esquadra.

Embora o almoço prossiga com a exibição dos novos telemóveis e fotos armazenadas, com alusões aos atentados terroristas da véspera, o 11 de março em Madrid e, na sequência disso, surja um rol de piadas secas e mal-intencionadas dirigidas a romenos e a "*monhés*" (termo depreciativo que usam para se referir a pessoas oriundas da Ásia meridional ou a indianos de países africanos), o tom na mesa é de tristeza. Alguém solta alto e bom som: "*Quando passo no Rossio, olho para todo o lado. Lá é só pretos e monhés, essa porcaria toda. Já fico a pensar se não trazem bombas*". Mas volvido o momento de descompressão das conversas rasas, o ambiente é de consternação. "É ver partir mais um", diz um dos agentes que ameaça comover-se, sendo de imediato travado pelos outros.

Como me dirá a adjunta mais tarde, ao regressarmos à esquadra e debruçando-se solene na sua secretária: *"Vai ser difícil para nós encontrar outro como o Alvarez que conhece as ruas e se interessa pelo que se passa no bairro. São cinco anos de trabalho que vão pelo cano abaixo. Ninguém pensa nisso, mas de cada vez que há uma transferência é isto, a esquadra e o cidadão é que ficam a perder".*

Como todos os maçaricos, nos primeiros dias de esquadra aprendeu com os colegas o essencial para se manter vivo. A inaptidão, insegurança e desconforto seriam transformados em princípios básicos tidos quase como mandamentos: comer uma refeição quente por dia e acertar com as horas, já que os turnos estão sempre a rodar; hidratar-se e beber água constantemente, sobretudo no Verão; aproveitar bem a folga e o descanso para descansar, sobretudo nos primeiros tempos; pedir apoio aos colegas sempre que necessário, mas mantendo sempre certa dignidade e discrição pessoal, já que o novato é uma espécie de estrangeiro entre nativos.

Lembro de um dia ter ido na parte de atrás do carro-patrulha socorrer um agente que pedira ajuda. Não parava de vomitar. Teve de ser levado para o hospital militar da Estrela, um acordo antigo mantido entre o exército e a PSP. Já vários o tinham advertido de que tinha de comer melhor. Conclusão: tinha ainda pouco tempo de esquadra. Como uma vez me disse o Alvarez: *"Muitos, sendo de fora, ficam de tal modo agarrados ao serviço que se esquecem de comer, dormir; há um corpo a preservar, pois esta é uma profissão de grande desgaste físico e psíquico".* Todos os dias inalava os miligramas de cloreto de sódio com água purificada. O soro fisiológico é a arma secreta para sobreviver às sinusites e renites nasais provocadas pela oscilação nos turnos. De quatro em quatro dias, as seis horas obrigatórias de turno vão sendo modificadas. De cada vez que se entra ao serviço é para ter farda limpa, botas engraxadas. Cada um cuida da manutenção da sua arma. Quando um está desalinhado, o colega corrige. A revista ao estilo militar pertence ao passado, *"mas é melhor ser um colega a advertir do que o chefe, que nesse dia pode estar com os azeites e espingardar"*, remata o Alvarez.

Tal como o Alvarez, as histórias de agentes e chefes deslocados repetem-se. Mais raros são os casos como o do Cruz e do Dinis. O primeiro começou por trabalhar como rececionista no hotel Sheraton, em Lisboa, e mais tarde largou o emprego de operário qualificado na AutoEuropa, em Setúbal (onde esteve cinco anos), atraído pelas sirenes e o ruído dos silos dos carros-patrulha. O segundo era conhecido por menino da linha. Nasceu no Estoril e ali vive. Durante três anos foi oficial de placa, subcontratado pelo aeroporto de Lisboa, onde fazia a gestão de *handling* de companhias aéreas estrangeiras, tendo trabalhado também na indústria da segurança privada e em hotelaria, nas praias. Tentou concorrer à Polícia Judiciária duas vezes e mais duas ao ISCPSI, para oficial, mas acabou por se conformar à vida de agente. Passou alguns anos na patrulha mas, destro que era nos saberes da rua, rapidamente seria transferido para a divisão de investigação criminal, situada na zona das docas lisboetas.

Os patrulheiros estão na mais baixa posição hierárquica do trabalho policial, com uma carreira delimitada por apenas dois postos, o de agente e agente principal. Poucos serão chefes, e menos ainda chegarão a oficiais. . Ganham menos (sem os suplementos e subsídios, a base para agentes é 790 euros, para chefes 1253 euros e para oficiais recém-formados 1510 euros, mas só os últimos vão, efetivamente, progredir) e têm menos tempo de formação inicial (entre seis a nove meses, enquanto os oficiais completam um mestrado de cinco anos). Assumem responsabilidade individual pelo trabalho que executam e os processos que assinam, mas os seus poderes administrativos são restritos quando comparados com os de um comandante, que administra e supervisiona todo o trabalho de uma esquadra e é responsabilizado pela documentação geral. Ainda assim, para o mal e para o bem, a rua é o domínio dos agentes ou, como dizem, "*a rua é o nosso território*". O conhecimento dos bairros, do comércio, dos residentes, em suma, as particularidades transeuntes do lugar, compete aos agentes. Um turno pode oscilar entre uma simples troca de informações a um cidadão comum, a ajuda a um invisual que necessita de atravessar a rua enquanto o agente vai a passar e a ida a ocorrências mais ou menos complexas que podem envolver furtos simples ou roubos com agressão física. Na maior parte dos casos eles entram em ação para dirimir, ali mesmo onde acontecem, zangas e disputas, tensões e conflitos mais acesos, muitos deles associados a esse denso movimento de pessoas e veículos em Lisboa. De modo algum a patrulha é um lugar que exija pouca técnica e tática. Hoje um agente deve estar preparado para acorrer a situações de conflito, criminalidade, desordens muito variadas, de diferente intensidade e dificuldade. Nas esquadras cada agente é, à sua maneira, um filósofo, guia e amigo, como disseram estudiosos norte-americanos numa importante coletânea publicada nos anos 1970, "*The Ambivalent Force*".

Conheci patrulheiros de vários estilos. Os polícias operacionais, ou verdadeiros operacionais, que iam a todas e até atraíam serviço, dizia-se, contrastam com os agentes baldas, também chamados cabides. Esses querem fazer as suas seis horinhas de turno e nada mais. Os agentes malucos honram a farda, mas são tão destemidos quanto temperamentais, por isso um comandante de esquadra deve oferecer um tom de bom senso e discrição à unidade. Mas não se confundam os malucos com os duros. Estes são figuras algo ridicularizadas nas esquadras, aqueles que conseguem complicar em vez de resolver uma ocorrência. São os "cromos" (patetas e desajeitados), as ovelhas negras, agentes "queimados", isto é, em geral considerados inadaptados à vida de agente, a quem se aconselha, sem dó nem piedade e com uma pitada de crueldade, que peça para ser assistido no gabinete de apoio psicológico, a funcionar nas instalações do Grupo de Operações Especiais (GOE), em Belas. O aumento do número de agentes recrutados com algum nível de ensino superior trouxe, nos últimos anos, uma nova realidade social para dentro da PSP, os agentes certinhos, também chamados de doutores, com os quais os pares tiveram de se habituar a lidar.

Outras mudanças ocorreram na PSP. Um dos principais efeitos da revisão legal e reinvestimento numa polícia pós-ditatorial, que chegou em pleno à PSP no início do milénio, pode ser visto na restrição do uso de armas. *"Hoje, cada vez mais, a arma é um ornamento"*, disse-me primeiro o agente Mateus e repetiram vezes sem conta outros tantos, sempre oscilando entre o tom irónico, saudosista e preventivo: *"A verdade é que não queremos atrair problemas"*. Aqueles que entendem melhor os caminhos judiciais de uma burocracia, afirmam: *"A caneta sim, é a nossa arma"*. Tal rumo passou, em boa medida, pela deslocação de um controlo direto dos operacionais, realizado pelas chefias de esquadra, para formas de controlo mais administrativas das suas práticas, nomeadamente através dos internos gabinetes de deontologia dos comandos, da DN e do escrutínio externo da Inspeção Geral da Administração Interna (IGAI), criada em 1996.

Durante 2004 e 2005 fui testemunha do temor das visitas inusitadas às esquadras pela IGAI, prática que, com o passar dos anos e das diferentes legislaturas, foi caindo em desuso. O magistrado do Ministério Público (MP) Maximiano Rodrigues, conhecido entre polícias como o homem das gravatas, e na sociedade portuguesa como o super-polícia, sempre exuberante e com cara de siciliano provocador, conseguiu imprimir um estilo pessoal à ação de vigilância dos vigilantes. Participou na Direção da Alta Autoridade Contra a Corrupção e esteve na equipa do MP nos casos FP-25, que envolveu um polémico processo contra Otelo Saraiva de Carvalho. Ganhou notoriedade com o caso Fax de Macau, no julgamento de Carlos Melancia. Mas ficaria mais conhecido pela sua luta pelo respeito dos direitos humanos e por uma justiça democrática em Portugal. Com o correr dos anos, a IGAI reforçou as auditorias internas das corporações policiais e reservou a inspeção para casos mais gritantes, mantendo-se na sombra como garante do controlo legal da atividade policial. Ouvi-o, algumas vezes, dizer em simpósios que a sua meta é uma polícia que mate zero. Defendia, com unhas e dentes, que as polícias mais democráticas do mundo são as que menos usam a arma, logo, as que menos matam.

Ao contrário do que observamos nos heróis da filmografia policial, antes e depois do filme *Dirty Harry* (1971), com o famoso herói desempenhado por Clint Eastwood, os agentes nas esquadras, em Portugal, raramente chegam a colocar a mão no coldre, pelo menos quando à vista de todos. Salvo em bastidores onde só os olhares de agentes e, em geral, jovens descendentes de Africanos e de outras minorias étnicas penetram, exibir a arma de fogo é um gesto que evitam e, como tal, muitos desaprendem no curso dos anos de trabalho nas esquadras. Mas há notórias exceções. Num dia quente de Julho acompanhei um agente trajado à civil na busca por um imigrante ilegal ucraniano. O pedido surgira para a circunscrição por via do Serviço de Estrangeiros e Fronteiras (SEF) e fora depositado na mesa do comandante. Duarte, um agente de 30 anos, musculado, ereto e muito cheio de si, fora o escolhido pela chefia para a tarefa. Todos lhe conheciam as críticas à rotina do policiamento preventivo e as suas ambições para seguir rumo à investigação criminal, onde meses mais tarde viria a ser integrado. Acompanhei o Duarte até ao prédio onde se julgava estar alojado o clandestino. Fomos até uma rua estreita próxima da igreja de Santa Isabel, já fora dos limites da área administrativa da esquadra. A ordem viera de cima e era para cumprir. Antes de entrar no prédio Duarte preparou-me: *"Temos que ter muito cuidado. Dizem que este prédio tem muitos problemas. Não sabemos o que vamos encontrar do lado de lá. Vem sempre atrás de mim"*. Colocou-se na minha frente e, de arma em riste, subiu energeticamente as escadas, imprimindo à ação um estilo policial que eu nunca antes tinha presenciado. Nem mesmo em operações *stop* no trânsito, perto da Meia Laranja. Nessa zona, facilmente os polícias do piquete encostavam à parede suspeitos de tráfico para revistas tensas e, com frequência, humilhantes. Subi atrás do Duarte, parando em cada andar, sem elevador, até ao quarto piso. Na descida, ele tocou a algumas portas. Não se viu ou ouviu vivalma. Entre o alívio e a deceção, foi como terminou a nossa investida. A verdade é que nunca soube se esta era uma encenação policial para me impressionar. Dias mais tarde seria localizado um outro migrante. Visitámos uma pensão barata já próxima do largo do Rato onde, aparentemente, se albergavam pessoas em quartos estreitos e com muitas camas. Ali guardavam malas, em geral feitas e prontas para a fuga, informou-me o Duarte. Abriu uma das malas e mostrou-me como só lá estavam os bens essenciais (uma muda de roupa, sabão e escova de dentes). Mas dessa vez não houve uso de arma e a explicação era simples. Toda a operação se fez acompanhar pela carrinha do piquete. A oferta do reforço deste grupo, alegadamente especializado em desordens e situações de enfrentamento, oferecia ao Duarte mais segurança. Foi assim que se descobriu um ilegal. De olhos claros, louro e alto, o bielorusso, cujo nome nunca ouvi, foi levado para a esquadra na carrinha de uma secção da brigada. Defendeu-se como pode, *"estava a trabalhar e não era um criminoso"*, dizia num português que me impressionou pela fluência. Seria a minha primeira e última vez nestas carrinhas. Soube de imediato que não era lugar para mulheres, nem sequer para as agentes; que não era lugar para mim. Na esquadra, o comandante e o Duarte decidiam sobre o futuro do processo. Haveria matéria para um processo? Congeminaram e concluíram que era melhor deixar o homem partir. Consideraram que poderiam ter problemas com algum juiz defensor dos direitos humanos... Era o Campeonato Europeu de 2004 em Portugal, e a ampliação da discricionariedade policial chegara, ainda que timidamente, às esquadras.

Magda

Magda foi uma das poucas agentes que conheci na patrulha. Era visível o seu orgulho quando assumia a posição de arvorado no carro-patrulha. Queria que os colegas a considerassem uma verdadeira operacional. Não aceitava os ocasionais convites superiores que desde cedo a tentavam empurrar, a ela e a tantas outras, para fora dos turnos, das aprendizagens táticas, do humor negro de colegas fustigados pelas ruas. Sentia na patrulha o aprender do mundo que, segundo muitos, não resiste aos dez ou quinze anos de trabalho, altura em que muitos começam a tentar um lugar mais resguardado nos serviços internos e secretarias, com horários mais regulares e serviço ameno. Dizem que esse é o momento em que as ruas começam a deixar de fazer sentido.

Conheci a Magda com 29 anos e pouco mais de três anos de esquadra, de agente. Participava na primeira operação-*stop* noturna que acompanhei em 2004, quando tais operações começaram a ser cada vez mais frequentes nas políticas de segurança rodoviária. De facto, para uma recém-chegada, mulher, estudante de doutoramento em antropologia (*"de quê?"*, perguntavam-me), o ambiente era de cortar à faca. Mas percebi que não devia ser só eu a pressenti-lo, a julgar pelos olhares fugazes, mas cúmplices, que troquei com a Magda. Tal como um pardal assustado, ela parecia ainda procurar encaixar na sua pele o *ethos* profissional. Nas horas da rendição, nas mudanças de turno, com o ajuntamento dos dez colegas do grupo, com o barulho, botas a bater, vozes de tenor e risadas maliciosas, Magda assumia um olhar de águia, distanciada, a estudar cada gesto e interjeição. Manter-se discreta, e participar parcimoniosamente na confusão, parecia ser a sua estratégia.

Para todos ela era a Magda, como a agente Sónia ou a chefe Rosa. Nunca lhe atribuíram o sobrenome Rodrigues, ao contrário do que é comum para os colegas masculinos. Talvez heranças antigas dos tempos da tropa. Rodrigues era o nome do marido que trabalhava logo ali na mesma divisão. Por isso, ela era *"a do Rodrigues"*. Não escondia o conforto de ter o homem na força. Imagine-se o cerco que seria, uma loura de olho claro, menos de 30 anos e operacional como só ela. Assédio e não só, pressão. Sendo ela a delegada sindical da esquadra, por determinação pessoal, os comandantes facilmente a tomavam de ponta, sobretudo o comandante-mor, da divisão, a que todos tinham de prestar contas, incluindo o próprio comandante da esquadra.

Acompanhá-la desfardada numa manifestação organizada pela Associação Sindical dos Profissionais de Polícia (ASPP), em 2005, ou nos jantares de confraternização onde se juntavam dezenas de agentes, nas despedidas de um e outro colega do grupo transferido, era olhar uma outra Magda. Finalmente soltava o cabelo, ria um pouco mais à vontade, vestia o apertado blusão de ganga, mas não largava o olhar de águia. Soltar o cabelo era coisa que nem ela, nem nenhuma das colegas, fazia no serviço, com exceção da comandante ou de uma ou outra agente da proximidade. As normas expressas nos dossiês do processo, que deu início aos processos de recrutamento de mulheres para a Polícia nos idos anos 80, definiam estritas condições de apresentação de si. Por sorte, nas pesquisas que desenvolvi na DN, antes de mergulhar no mundo das esquadras, deparei-me com um conjunto de documentos relativos à negociação da carreira policial feminina na PSP. Logo me chamou a atenção um detalhado relatório oficial intitulado *"Recomendações para as guardas femininas em serviço"*, com 27 páginas, datado de 1983. Aqui, a aparência do corpo feminino é como um mapa a ser escrutinado, de norte a sul. Uma lista sintetiza normativas para a apresentação física. O relatório explicita que esta lista terá sido afixada em locais bem visíveis aos polícias, nas mais variadas instâncias da corporação: esquadras, divisões, comandos e espaços de formação (a Escola Prática de Polícia e a então Escola Superior de Polícia). A maior parte do extenso texto dirige-se às designadas guardas. Fornece indicações estéticas mas também higiénicas sobre a manutenção da aparência feminina. É proibido o uso de perfumes, acessórios, fumar ou mastigar pastilha elástica. O cabelo, *"se tingido, deverá ser de uma outra cor natural e discreta (a critério do respectivo comando poderão ser recusadas certas tonalidades julgadas vistosas)"*. *"Pintura sim, mas sem exageros, sem exotismos, com sobriedade e discreta feminilidade"*. O tom é pedagógico: *"A vossa beleza é antes de tudo um trabalho pessoal. (...) Uma maquilhagem dos olhos muito carregada pode vulgarizar a mulher que a faz, um baton cor de sangue dá um aspecto pavoroso, um fundo amarelo transforma o rosto numa máscara"*.

Normativas desta natureza são hoje consideradas atávicas. Chegamos, mesmo, a rir-nos delas. E, no entanto, Magda, como as agentes em geral, não podem correr o risco de ganhar total à-vontade com o seu corpo fardado. A uniformização requer um entendimento transversal sobre estes assuntos, que no caso delas adquire singular morfologia. De cabelo apanhado ao alto, uniforme impecável, o mínimo de pinturas faciais e com umas pérolas simples nas orelhas, as suas sardas sobressaem nas tardes quentes de Campo de Ourique. Mas os direitos pessoais e a emancipação dos agentes como funcionários da função pública, não são mais uma fantasia por alcançar. Impossível esquecer uma certa indignação com que a Magda me relatou como, numa noite de operações, ouvira o comandante da divisão alertar uma das colegas para a fealdade da sua forma física: "*Olha que te estás a deixar engordar; vê se tomas cuidado com isso; não quero cá senhoras gordas na patrulha*". Claro que não se atreveria a fazer isso a colegas homens, que evidenciavam há anos os seus proeminentes abdómenes. "*E porque não?!*", indignava-se Magda na minha frente. Ela não se atreveria a argumentar com o comandante; mas sabia mais do que dizia. Aliás, todos os polícias sabem mais do que aquilo que alguma vez dirão, pelo menos a alguém que vem de fora, como eu.

Magda e o marido alugavam um quarto numa casa com vários colegas na mesma situação. Os 750 euros líquidos de cada um não davam para mais, sobretudo quando enfrentando as rendas caras de Campo de Ourique. Como a maioria, Magda e o marido faziam as suas contas. Estimavam faltarem seis anos para serem colocados na região onde nasceram, cresceram e namoraram, onde mantinham a rede familiar e onde sonhavam ver crescer os filhos, em Beja. Depois de conhecer a biografia da maioria dos agentes, passei a pensar na polícia como parte da história de desertificação interior do país. Embora não estejam disponíveis dados oficiais relativos à origem regional dos polícias, ao longo dos anos fui apurando que uma larga maioria de recrutados que trabalha durante muitos anos em Lisboa vem do centro e norte interior do país (das Beiras e Trás-os-Montes). Muitos dos agentes veem na

PSP a possibilidade de fuga a um desemprego ali crescente, ou ao destino precário e rural de seus parentes. Isto transforma a PSP numa instituição nacional em sentido duplo, ela é um símbolo de governo e da nação, mas é, também, marcada pela representatividade interna da variação regional, desde logo expressa por pronúncias regionais. Não é pouco comum ouvir falar do bracarense Ramalho, do Joaquim transmontano ou da viseense Elisa, identificando-se os colegas pelos lugares de origem.

Magda trabalhou durante um ano na segunda divisão de Lisboa, nos Olivais Sul. Considerava ter sido essa a sua verdadeira escola da profissão. Lidou com muito movimento noturno, realojados em bairros degradados e tráfico de drogas. Ali sim, disse-me, viu-se obrigada a empunhar algumas vezes a sua arma. Conheci menos de perto a atuação dos polícias nas periferias, mas durante vários meses, entre 2007 e 2008, visitei e entrevistei técnicos e jovens de associações sociais e culturais da Amadora, na margem norte, à Arrentela, na margem sul. Foi o suficiente para saber que a conquista dos outros lugares mais centrais da cidade continuava a ser aguardada nas periferias. Agentes deslocados em Lisboa, dados a margens povoadas de migrantes das antigas colónias africanas, seus filhos negros mas cidadãos portugueses, e novos migrantes indocumentados, arrastavam por ali as suas frustrações. Mais do que o risco, era o estranhamento intercultural e a estranheza que evidenciavam. E em geral os residentes queixavam-se de agentes mal preparados para lidar com eles, com os seus modos de vida e, sobretudo, com os jovens dos bairros. Apesar de intervenções interministeriais do Alto Comissariado para a Imigração e Diálogo Intercultural (hoje Alto Comissariado para as Migrações) e do Instituto Nacional de Habitação, projetos nacional e internacionalmente premiados por insistirem na promoção da interculturalidade, de opções de vida para jovens e na requalificação urbana, os polícias de esquadra, embora de corpo presente, estavam muito distantes dali. Godelieve, a fundadora da associação Moinho da Juventude no bairro Cova da Moura, transmitiu-me várias vezes a sua apreensão: *"Não somos contra a Polícia, pelo contrário; mas não suportamos mais os abusos dos polícias. Nós aqui lutamos por agentes da proximidade. É muito simples, queremos ser tratados com dignidade, como nos outros lugares da cidade"*. Como alegou Leo, um adolescente de 15 anos com dupla nacionalidade portuguesa e cabo-verdiana, numa manhã fria de fevereiro de 2007 numa roda de conversa onde estavam mais doze, no Espaço Jovem da associação: *"A gente sabe que os polícias são para proteger, mas então porque nos batem?!"* Longe de ser uma realidade urbana nacional, uma onda de policiamento ostensivo e injustificadamente violento nas periferias encontra-se em curso à escala global. No caso das *banlieues* parisienses o processo fica bem patente numa das obras mais inovadoras sobre o tema, *"La Force de L'Ordre. Une anthropologie de la police des quartiers"* (2011), de Didier Fassin.

Na época, Magda era uma das quatro agentes femininas na esquadra. Porque as outras estavam destacadas nos serviços da proximidade, Magda era a única nos turnos e a trabalhar num grupo de homens. A sua compleição física juvenil fazia duvidar qualquer um que não lhe conhecesse o desempenho. Parecia demasiado calma para polícia. A estratégia de não dar muitos nas vistas não era particularidade sua. Muitas mulheres cedo perceberam que não seriam facilmente adotadas entre os rapazes. Como uma vez me disse: *"A mulher que se integre bem na esquadra, que entre na maneira de falar dos homens, que não se ofenda com qualquer coisa, acaba por ser bem aceite pelos colegas. Eles veem ali a figura de uma mulher que dá outro ambiente à esquadra (...). Nunca tive aquele complexo de pensar – 'bolas, tenho que ir trabalhar no meio de homens'. Pensava antes assim – 'Vou trabalhar no meio deles e tenho que levar com eles; vamos trabalhar em termos policiais e se tiver que sair com eles, se tiver de conviver com eles, tudo bem. Tenho é que impor o respeito, eles têm que me respeitar pelo que sou."*

Seriam os dotes administrativos para preencher a papelada, conquistados por uma herança de bons resultados no ciclo escolar secundário, e o poder da palavra para segurar desacatos e desordens, que lhe iam oferecendo a confiança e o reconhecimento na esquadra. Mas tudo isso viria a mudar. Encontrei-a grávida de sete meses no verão de 2006. Como sempre acontece nesses casos, estava temporariamente deslocada nos serviços administrativos da esquadra. Mesmo assim, ela e o marido tinham concorrido à divisão de investigação criminal da PSP. Estavam cansados da vida de patrulha. Quando nos reencontrámos, em 2012, estava já fixa nos serviços administrativos em Chelas, enquanto o marido prosseguia na carreira almejada. Por um lado, ser mãe completava-a, por outro, os sonhos profissionais teriam agora de esperar.

Pelas esquadras ainda se contam um pouco pelos dedos da mão as agentes femininas. Nas escolas, com idosos, nos programas de apoio à vítima, estas tiveram um protagonismo fundador. Dir-se-ia que as agentes femininas ajudaram a promover nos *mass media* a ideia de uma polícia moderna, à europeia, interessada nos problemas dos cidadãos, parte integrante da tão apregoada proximidade. A primeira década de 2000 foi a década dos polícias em Portugal. Talvez nunca antes se tenha noticiado tanto a força de segurança pública. No embalo de reformas do policiamento de proximidade, o policiamento comunitário à portuguesa – ou à francesa, porque se inspira no modelo gaulês – os agentes parecem ter definitivamente saído do armário. Polícias no feminino foram entrevistadas, acompanhadas por jornalistas nas jornadas da patrulha e, também, no trabalho de investigação criminal.

Deram-se remodelações organizacionais importantes, foram criadas esquadras de raiz e, ao mesmo tempo, foram investidas as unidades de estilo mais ostensivo, para não dizer de inspiração militar. Mas foi a imagem dos polícias, e a abertura das esquadras aos cidadãos, que marcou a relação dos portugueses com a PSP. A simpatia popular pela proximidade e pelas causas dos polícias, quando estes se manifestam nas ruas, parece estar a salvo.

Porém, o entusiasmo no recrutamento feminino rapidamente sucumbiu à maioria masculina, nunca atingindo os 10% em algum momento da história da instituição. Muitas jovens mulheres viriam a aderir com mais facilidade, e em maior quantidade relativa, à carreira de oficial, com o ensino secundário completo, entre os 18 e os 21 anos, chegadas a Lisboa, do norte, sul e ilhas, como os demais colegas, para se formarem no ISCPSI. Cinco anos de internato garante à maioria uma boa carreira, muitas oportunidades e vencimentos promissores. Entre um mundo de cadetes e aspirantes, muitas acabariam por ali conhecer o futuro marido. Não necessariamente até que a morte os separe, porque nada é eterno na vida de polícia, embora se possa manter a segurança de um contrato de trabalho como em mais lado nenhum, nem mesmo nos outros setores da função pública. Maridos e carros-patrulha podem quebrar-se pelo caminho. A fragilidade das relações e dos materiais é posta à prova constantemente numa profissão que, mais do que lidar com o risco, lida com o imprevisto, a sedução e agrura do desconhecido.

Madga somava ao género uma outra particularidade: era delegada sindical da ASPP. Muitos dos delegados tiveram problemas disciplinares ou hierárquicos mal resolvidos que os levaram a adotar essa espécie de carreira paralela na PSP. Não era exatamente esse o caso de Magda. Tomou contato com a associação quando se negou cumprir uma ordem superior, entrar na escala dos serviços remunerados para os recintos desportivos. Ao contrário dos colegas masculinos, as agentes da patrulha eram, até então, obrigadas a prestar esses serviços, fora do horário de trabalho, mesmo que de forma involuntária. O menor número de agentes femininas alertava para a sua falta nas revistas corporais a mulheres à entrada dos estádios de futebol, cada vez mais cheios de adeptas. Na ASPP convidaram-na para o lugar e ela aceitou. Assim se habituou a lutar por alguns direitos e garantias na organização, e a enfrentar a antipatia dos seus comandantes. Não conseguiria resistir sem o apoio do marido. A ligação matrimonial fazia-a lidar melhor com a pressão que sentia na força por ser mulher, melhorava-lhe a reputação e protegia-a do isolamento pessoal.

Marcelo

Lembro-me, como se fosse hoje, de em janeiro de 2009 receber o telefonema de um chefe da esquadra de Odivelas. Conhecera-me por intermédio dos meus textos. Marcelo apresentou-se como admirador do meu trabalho e queria saber se poderia, finalmente, conhecer-me. Desde então nunca mais deixámos de nos encontrar para conversar, trocar bibliografia, ler os textos um do outro. No Instituto de Ciências Sociais, onde eu trabalhava na altura, ou na esquadra de Odivelas, almoçávamos com frequência, só para falar de polícia e de policiamento. Com 55 anos de idade, uma postura impecável e uns olhos verdes de fazer inveja, fala de modo suave mas decidido. Marcelo seria mais do que um interlocutor. Ficámos amigos.

    Quando decorria o projeto *"Policiamento da Violência Doméstica"*, entusiasmado que estava pela maneira do fazer antropológico, ele mesmo se ofereceu para escrever os seus diários, relatando o que vivia, via e conversava na esquadra. Sagaz, percebera ser essa uma ferramenta da observação participante em antropologia e queria agora experimentar. Num precioso documento de mais de 60 páginas, de setembro a dezembro, comentou como ninguém o seu quotidiano. Mais do que as interações e momentos relatados, o que de facto me estimulou no seu texto foi a precisão das questões que elaborara e que, seguramente, continuarão muito tempo por responder. Perguntava-se: *"Como se avaliam as esquadras? Penso que as que registam maior número de crimes, ou seja, onde se rouba mais, são as esquadras mais valorizadas. Então a avaliação não deveria ser pela ausência de crimes, de furtos, de roubos? Penso que se olha para este fenómeno da densidade de crimes praticados de forma apenas quantitativa ou seja, muito expediente, muitos crimes participados e registados, logo, uma esquadra bem comandada. Será? Nem quero acreditar nisto."* Os seus momentos de indignação no texto são múltiplos: *"Será que ninguém está a ver que esta esquadra precisa urgentemente de mais meios? É impressionante, tudo isto. Tenho a sensação de que fazemos tudo automaticamente: é preciso é 'comunicar', 'participar', dar a conhecer as ocorrências; não importa se resolvemos alguma coisa ou não. Funcionamos automaticamente, de forma inconsequente, aguardamos que o tempo passe e a hora chegue para sairmos daqui. É a verdadeira erosão da densidade dos problemas a ditar o curso dos acontecimentos".*

Marcelo é uma espécie de exemplar vivo da história desta polícia que é, também, a história de um país. Nasceu em 1959, numa remota aldeia da Cumeada, no Conselho da Sertã (Castelo Branco). Aos 12 anos, com a terceira classe, na sequência da retirada forçada da escola, fugiu de casa dos pais em direção à capital. Não mais olharia para trás, tempo do qual apenas recorda a presença do álcool e as investidas violentas do pai. Em Lisboa foi encontrado caído, do cansaço, perto das obras onde trabalhava, comia e dormia. Aprendeu muito cedo a sobreviver num mundo onde, pequeno, se sentia muito grande. Disse-me, em mais de uma das nossas conversas, que a PSP é a arquitetura para uma vida difícil e precária. Casou e teve três filhos. Participou no histórico evento que iniciaria o longo processo de negociação da legalização dos sindicatos de polícia, o famoso Secos e Molhados, à imagem do que já ocorria numa série de países da União Europeia. No dia 21 de abril de 1989, polícias em manifestação foram travados com jatos de água por outros polícias do Corpo de Intervenção, por ordem do então Ministro da Administração Interna. As manchetes dos jornais anunciaram "*Polícias contra polícias fardados protagonizam manifestação inédita*". Poder reivindicar o seu direito a folgas, participar na negociação dos seus estatutos, melhores vencimentos e condições laborais, manifestar o descontentamento e opinião sem serem punidos por lei, ou administrativamente, representou, para muitos agentes que conheci, a chegada simbólica de abril, do 25 de abril de 1974, à polícia. Na sequência da recusa em carregar sobre os colegas que se manifestaram na Praça do Comércio, Marcelo seria mais tarde afastado do Corpo de Intervenção, ficando como chefe de grupo, durante vinte e três anos, em Odivelas. Foi o primeiro polícia a trabalhar no programa Escola Segura, antes mesmo da existência da diretiva nacional do MAI, em 1999, que ampliaria os projetos-piloto de algumas esquadras para uma dimensão nacional. O projeto veio a ser reconfigurado pela PSP com o designado Programa Integrado de Policiamento de Proximidade (PIPP) em 2006. Faria o seu mestrado sobre essa experiência que conquistou num ápice os jornalistas e a generalidade dos *mass media* – a proximidade policial – e que serviria, no fundo, para popularizar a PSP no Portugal democrático. Em 2013 seria, finalmente, promovido a chefe principal e a exercer funções de comando de esquadra.

Conhecendo a sua biografia, apercebi-me porque era tão intimamente tocado pelo problema da agressão contra as mulheres. Neste capítulo considerava que a Polícia estava aquém do seu mandato: *"Não haverá uma excessiva concentração do poder no M.P.? Esta excessiva concentração do poder não estará a servir para diminuir o próprio poder do Estado? Para descaracterizar toda uma eficácia do poder policial e judicial? O que é que as vítimas preferirão? Um poder judicial independente, sim, mas tão distante do seu sofrimento, dos seus prejuízos? Penso que não."*

Não necessariamente pessimista, Marcelo foi o mais exigente polícia que conheci. *"Para muitos cidadãos a polícia pode tudo, faz ou pode fazer tudo, tem capacidade para tudo e, sobretudo, é uma polícia em quem confiam a solução dos seus problemas. Para muitos dos polícias, a polícia é muito restrita, limitada, não tem poder, capacidade para resolver os problemas, falta tudo ou quase tudo. Eu situo-me a meio destes dois termos: podemos fazer mais, sinto isso em muitas situações, podemos marcar mais a diferença. Sinto isso nas pessoas com quem trabalho e nas legítimas expetativas das pessoas que atendo".* Em 2011, com 53 anos, somava vinte e oito dedicados a esta instituição e, ao contrário da maioria, que prematuramente já falava nos planos para a reforma, Marcelo desejava um dia vir a ser voluntário na força. O seu trabalho cativava-o, mas ambicionava novas e temerárias soluções para uma burocracia que considerava *"excessivamente auto-conduzida"*, como dizia. *"Há algo de contraditório nesta situação que é, por um lado, a excelente formação dos agentes, chefes e oficiais e, por outro, este tipo de procedimento massivo e incaracterístico que nos engole, torna indiferentes e impotentes."* Talvez um dia, Marcelo e outros como ele, sejam ouvidos no seio desta instituição piramidal.

Violências privadas, direitos públicos

Gustavo resolveu instalar-se na rua de armas e bagagens. Equipou o seu pequeno Fiat Punto azul turquesa repleto de imagens, balões, desenhos das filhas e frases de denúncia que atestavam toda a sua ferocidade. Cobriu a viatura com listas de nomes de magistrados, reclamando: *"A justiça não é para todos!"*, *"A justiça é uma farsa"*. Ali passou a viver dia e noite. Congelou o seu ódio numa performance provocatória. Ficou, durante dezoito meses seguidos, na esquina em frente ao prédio onde viviam a ex-mulher, de 42 anos, e as duas filhas, de 12 e 15 anos, no apartamento que fora dos sogros, numa das últimas ruas do concelho de Lisboa, no Restelo. Ficou conhecido dos polícias e dos tribunais pela ousadia agressiva das suas manifestações. Este é um entre os muitos casos a receber notícia na última década, desde que a violência doméstica se tornou crime público e um dos delitos mais registados pelas polícias em Portugal.

Ao tornar-se crime público, esta violência classificada ganhou uma expressão massiva nas estatísticas. De acordo com dados de um dos relatórios mais desenvolvidos sobre as ocorrências participadas às forças de segurança, produzido em 2010 por um gabinete especializado na matéria, localizado na Direção Geral da Administração Interna (DGAI), a violência doméstica tem constituído a terceira tipologia criminal mais participada em Portugal. Ela surge logo a seguir a *"outros furtos"* e a *"furto em veículo motorizado"*. 2010 foi o primeiro ano em que o volume de participações ultrapassou o relativo às *"ofensas à integridade física voluntária simples*", posicionando a violência doméstica como o crime mais participado na categoria dos crimes contra as pessoas, tendo vindo sempre a aumentar nos últimos anos. No relatório anual de monitorização da DGAI, de 2014, podem ler-se os dados mais atualizados. Em 2013 foram recebidas, em média, pelas forças de segurança, 2276 participações por mês, 75 por dia e 3 por hora, o que equivale a cerca de 3 participações por cada mil habitantes. Em Portugal não é pouco frequente ler-se nos jornais notícias de mulheres assassinadas pelos cônjuges. Há quem lhes chame femicídios. No alarmante relatório de 2014, o Observatório de Mulheres Assassinadas da União de Mulheres Alternativa e Resposta (UMAR) registou 43 homicídios e 49 tentativas, na grande maioria por conhecidos ou íntimos.

Gustavo contra Paula

Paula não escapa a ser identificada como típica vítima de violência conjugal, na sua expressão de vulnerabilidade mais dramática e duradoura; e Gustavo como o poderoso agressor ao qual as instituições parecem temer pôr cobro. No meio e ao centro, as crianças. Gustavo é um homem alto, franzino, de olhar dilatado. O seu andar é nervoso mas é evidente, a olho nu, que se trata de alguém obstinado. Sempre foi magro. A sua biografia compromete-o e traduz uma sociologia de desigualdades e segregação. Cresceu na cidade e é filho das barracas dos limítrofes de Lisboa, na Pedreira dos Húngaros, bairro que viu o fim dos seus dias nos anos 90 com a onda de demolições e realojamentos sociais. Paula fala desse passado do ex como um lugar desconhecido. Sabe apenas dos oito irmãos, uns bem-sucedidos e outros não, e da raiva que Gustavo dirigia à mãe dele, de quem lhe ouviu repetir várias vezes, *"é uma vaca que não merece nada"*. Cruzou o olhar com a sogra uma única vez, num autocarro. Ao contrário da socialização periurbana de Gustavo, e de uma ascendência que ela imagina ser remotamente indiana, Paula teve algumas origens rurais associadas a Lamego, zona norte do país de onde os pais migraram no final dos anos 60, como tantos outros, no êxodo rumo à capital.

Envolveu-se com este homem, quinze anos mais velho, ainda adolescente, aos 16 anos. Com ele trabalhou na oficina de automóveis, que este conservava bem perto de sua casa. Ali viveu durante anos, em condições muito precárias, até conseguirem uma casa de habitação social no bairro do Vale da Amoreira. Cedo percebeu que não seria apenas a esposa. Para Gustavo, ela seria a empregada (trabalhava muitas horas, não recebia salário e não tinha folgas), a secretária (fazia todo o trabalho administrativo) e, por vezes, a escrava (sexual). Paula narra como era obrigada a tomar as suas refeições na cozinha, isolada dele e das filhas, quando Gustavo achava que ela se portava mal e devia ser "castigada". Fala de como Gustavo afixava pela casa toda frases que a denegriam: "És uma merda", "não vales nada", "metes nojo", não a deixando removê-las sequer do olhar das filhas. Durante anos, Gustavo proibiu os pais de Paula de contatarem as netas. Zangou-se por dinheiro. Todos os conflitos envolviam pedidos de empréstimo e disputas por dinheiro. Em segredo ela lá conseguia marcar um encontro efémero com a mãe, que costurava para fora, no Minipreço de Algés, mesmo nos anos em que o seu pai não lhe falava. "Isso acabou por matar a minha mãe", comove-se e chora.

O momento da separação definitiva (outras houve) surgiu quando Paula, após crises sucessivas, resolveu ir a um dos bancos, onde tinham conta conjunta, cancelar a procuração que ele a obrigara a fazer para todos os seus bens. Gustavo foi imediatamente avisado pelo funcionário. Narra os requintes de sadismo do ex ao chegar a casa. Obrigou-a a ficar acordada toda a noite.

Na mesa da cozinha, depositou-lhe à frente um bloco de notas e uma esferográfica. Ela, com a cabeça a tombar, escreveu todas as frases que ele ditava relativas ao seu mau comportamento e que jamais poderia vir a repetir. Irritava-se, ameaçava-a com um revólver e dava-lhe fortes estaladas.

Desde que a conheceu, Gustavo exerceu sobre ela um domínio que não contestou. Nem mesmo quando apanhou uma tareia do pai no dia em que este soube que ela namorava um homem com quem ele próprio já antes tinha tido problemas e discussões. Hoje vê nessa tareia um sinal que na altura não leu. Foi o afastamento precoce da sua família que a levou a ser ainda mais dependente daquele com quem viria a casar. Para o início da relação ela não tem justificação. *"Eu era uma miúda; que sabia eu da vida? Deixei-me ir? O que explicar?"*

O tipo de ocupação cénica que Gustava fazia do espaço público já antes se fizera anunciar. Paula acompanhou-o quando este, em 1996, recusou ser despejado do parque de campismo de Monsanto, na antiga estrada da circunvalação, onde tinha um atrelado mas onde raramente residia. O movimento solitário de resistência chegou a ser notícia de jornal. *"Parecia um mendigo"*, desdenha ela. Enquanto avançavam as demolições, ele continuava a ameaçar permanecer nos escombros, *"sempre teve um sentido obstinado da propriedade, do que é seu"*. A certa altura, na presença de polícias e entidades públicas, simulou uma tentativa de emulação que o levaria a ser detido por seis meses. O aproveitamento jornalístico e a apresentação de si como vítima deram-lhe força. Voltaria a repetir-se, anos mais tarde, quando convidado a ir a um programa de TV matinal, de grandes audiências, contar a sua história. *"Ele dizia, fui tramado pelos juízes e pela bruxa da minha mulher que afastou de mim as minhas filhas"*, relatou-me Paula, indignada. Sempre que podia fazia queixa da mulher na esquadra. Ele era, afinal, a vítima. Sempre que conseguiu, denunciou-a na esquadra e recorreu na justiça, punindo a mulher, adiando uma solução penal. Tudo isso leva Paula a acreditar que nada lhe possa acontecer, *"tal é a perversidade da sua atuação e a realidade do seu poder".*

Paula é uma mulher que não esconde a meninice, loura, algo diáfana, de olhar meigo e simpática. Não é magra, mas percebe-se que faz um esforço por se manter elegante. Conheci-a em pequena. Fomos vizinhas. Ela e o seu irmão mais velho moravam com os pais no rés do chão. Eu vivia no quarto andar com os meus pais e irmão mais novo. Lembro-me que o pai da Paula deixava o leite e o pão num saco de pano à porta de todos os vizinhos durante a década de 70 e 80. A certa altura perdi-lhe o rasto. Paula conseguiu encontrar emprego como monitora da Câmara Municipal de Lisboa, numa escola secundária. Mas as faltas sucessivas ao trabalho, provocadas pelas imprevisíveis perseguições de Gustavo seguidas de fuga, e as consequentes e imparáveis idas a tribunal, apenas foram toleradas por superiores que se compadeceram da sua sofrida biografia. *"Não fosse a diretora e já estaria no olho da rua",* diz. Desde 2012 que não cessaram as perseguições.

As filhas, Judite e Tânia, estão ambas a ser seguidas por pedopsiquiatras desde 2012, uma ajuda fundamental e reconstrutiva, admite a mãe, *"a salvação delas". Como poderiam aguentar tamanha pressão?* Durante quase um ano, em 2012, refugiaram-se as três numa casa abrigo, longe da capital, onde conseguiram manter o anonimato. Em 1999 foi criada legislação que estabeleceu o quadro geral da rede pública de casas de apoio e abrigos para mulheres. No mesmo ano passou a ser atribuído às vítimas de violência conjugal o direito ao adiantamento, promovido pelo Estado, de indemnizações para reparação do seu dano. Não conheci uma mulher que tivesse sido indemnizada. Paula recorda o tempo desta espécie de exílio com ternura. Regressaram, por fim, para a casa de seus pais, onde a fui encontrar em 2013, tentando ali um porto seguro. Com o processo em tribunal, o primeiro dando entrada em 2011, vieram as saídas obrigatórias das filhas com o pai. Mas as condições impostas por ele tornaram-se cada vez mais pesadas. As meninas passavam os fins-de-semana a fazer trabalho doméstico para o pai, não poderiam ter consigo os telemóveis. Obrigava-as a ficarem incontatáveis. Um dia explodiu mais uma crise e no meio de gritos, choros e da presença mediadora dos polícias da esquadra de Belém, as filhas recusaram partir, acompanhar o pai. Os agentes advertiram que Gustavo não as poderia obrigar. Foi nessa altura que ele decidiu: ficaria onde elas estavam, habitando no carro estacionado em frente à casa. Não arredaria pé. O mesmo gesto de assentamento se repetiria na escola secundária Paula Vicente que as meninas frequentavam. Um outro Fiat Punto seria instalado na rua em frente ao estabelecimento escolar, desta vez amarelo, com uma exibição cénica semelhante, mas com um toque ainda mais infantil, incluindo, agora, bandeiras e novos balões coloridos.

Embora todo o aparato do carro fosse surpreendente, a expressão da cor dos balões festivos dispostos na rua associada a uma história tão triste é, talvez, um dos elementos visualmente mais sórdido. Começou por ser nos aniversários das filhas mas, depois, tornou-se um hábito. Gustavo chegou a pendurar balões na árvore em frente à casa delas. Quando estes rebentavam com o sol e o mau tempo, dispersavam-se em pequenos pedaços de borracha que rolavam livremente por toda a rua. Assim, naquele estranho aparato, ele conseguira fazer-se representar material e permanentemente, apenas saindo em definitivo à segunda ordem de afastamento.

Dentro da pequena viatura, em frente à casa, Gustavo pernoitava, não sempre, mas muito mais vezes do que aquela família poderia suportar. De dia, quando de folga do trabalho, fazia de uma tasca próxima o seu ponto de observação do prédio, tendo conquistado a solidariedade do comerciante. Acompanhava, com o olhar atento, os movimentos das janelas da casa do rés do chão. Paula vivia em estado de nervos permanente, sempre temendo uma espera organizada daquele homem que tinha medo de encarar. A todo o minuto, ele podia colocá-la em risco, a si e sobretudo às filhas, pensava. Ele tinha um pequeno revólver que sempre conseguiu esconder dos polícias, mesmo quando lhe fizeram uma rusga à casa e lhe levaram as armas brancas. Paula e as filhas arranjaram todo o tipo de táticas para o iludir e escapar à vigilância apertada. Cada uma regressava a casa a horas diferentes. Em geral faziam-se acompanhar de conhecidos e de famílias inteiras, pois o número sempre intimida até os mais engrandecidos pela revolta. Nunca saíam a pé. Essa era uma proibição generalizada, a não ser para ir à mercearia mais próxima, caso não houvesse notícia dele no lugar. Embora desconfiados e face aos acusatórios (alguma coisa de mal Paula havia de ter feito), valia-lhe de consolação a solidariedade conquistada aos vizinhos. Os do prédio, mais próximos da sua história sofrida, conhecida de anos, tratavam de avisar os polícias de esquadra quando ele se tomava da vontade e do desespero da agressão, com violência física, dirigida a uma delas. Conta-se que quando estava mais determinado em vingar-se, Gustavo podia surpreendê-las, mesmo se acompanhadas, pegando-se à pancada com quem ousasse protegê-las. Foi assim certo dia, chegadas do trabalho e da escola, a mãe e a filha mais velha. Ele apareceu-lhes pela frente repentinamente. A filha ainda conseguiu entrar e fechar-se no prédio. A mãe só teve tempo de fugir na viatura do pai de uma colega de escola de uma das filhas, que fizera o favor de as levar a casa. Os gritos e os olhares insistentes na rua, que a cena provocou, não foram suficientes para o inibir. Nessa noite, a filha mais velha, aterrorizada, dormiu só. Paula conseguiu refugiar-se na casa de amigos fora de Lisboa, regressando no dia seguinte depois de múltiplos telefonemas para saber se o terreno estava limpo.

Impossível, a qualquer morador, não ser tomado pela presença daquele homem e do seu teatro. A pacata rua havia-se transformado na imprevisível relação violenta que envolvia não só a família mas todos os que nela eram levados a participar. A verdade é que a situação, de algum sufoco visual, conduzia a todo o tipo de pequenez e estranha impotência das autoridades. Alguns vizinhos, enervados pela ocupação do lugar e já sem paciência para aquela desgraça, entravam facilmente em trocas de acusações com o infeliz. E isso podia descambar em ofensas virulentas de parte a parte. Passada a discussão, alguns dos mais destemidos, pela calada da noite, esvaziavam ou cortavam os pneus do carro--instalação, partiam-lhe os vidros, para fazer notar o seu descontentamento, a sua pequena força. Nos dias seguintes podia esperar-se dele uma vingança sem tréguas. E quando despertado de novo o ódio dirigido a algum vizinho, tudo podia acontecer. Quase todos na rua foram acumulando histórias de confronto direto com Gustavo para contar.

Uma agressão resultante de um desses encontros aconteceu numa noite, uma semana antes do Natal de 2012. Sempre ouvi os polícias dizer que nos fins-de-semana, férias e épocas festivas, especialmente no Natal, as emoções das famílias estão ao rubro, e com elas o afeto e a dor, o carinho e a violência. Na esquadra, é nos turnos das 19-21h que os agentes são chamados com mais frequência para mediar situações de violência doméstica. Dizem as estatísticas que a noite e a madrugada geram mais de metade deste tipo de ocorrências, colocando alerta qualquer agente da patrulha regular.

Primeiro os insultos, depois os pneus do carro, o desatino e zás! Gustavo saltou do carro, pegou numa faca e atingiu João no pescoço e na face, o homem de meia-idade com quem trocava múltiplas ofensas, morador do prédio lateral ao da ex e das filhas. Tudo num sábado à noite. As janelas dos prédios encheram-se de faces. Algumas abriram-se e ecoaram insultos. Os mais envolvidos com o caso entraram em cena. Alertados quase imediatamente por um vizinho, os polícias do costume chegaram em socorro, com o reforço de agentes das brigadas de intervenção rápida, separando as pessoas, efetuando as identificações. A assistência médica foi imediatamente acionada para o ferido, como sempre deve ser feito. Não era para menos, tinha a cara trespassada por uma faca. Por pouco não morreu. Afirmações e indignações provocadas pela situação eram lançadas das janelas para serem ouvidas pelos agentes: *"Levem-no daqui"*, *"não o queremos aqui"*. Os mais solidários pediam: *"Deixem esta família viver em paz; as filhas não merecem; é um louco"*. E ainda se ouvia: *"Não aguentamos mais isto!"*

A reação dos agentes à situação já não surpreendia. Mantendo uma calma quase impenetrável, uma certa pose de familiarização com a cena e os seus atores, quatro agentes, dois carros-patrulha, mantinham-se muito na sua. Mediaram a agressão, chegaram a elevar a voz para o agressor. Fizeram-no sair de cena, não o levando em momento algum para a esquadra. Ameaçaram: *"Se volta a aparecer hoje é que o detemos!"*. Dizem os vizinhos que o sangue era tanto que foi varrido e a rua lavada pelos bombeiros durante horas da madrugada. Ninguém viu serem tomadas medidas de investigação de provas no local. Mas muitos ouviram os polícias repetir: *"Como não vimos nada, nada podemos fazer"*. Tal como muitas das mulheres violentadas, ela apressava-se a chamar os agentes. 71% dos casos de violência doméstica em Portugal são reportados no próprio dia em que ocorrem ou no dia seguinte.

Paula habituou-se a denunciar a situação às polícias mais próximas. Mas sempre lhes pressentiu a hesitação, *"estão de braços atados"*, dizia-me. E, ainda assim, as mulheres que aceitaram falar comigo, que conheci nos núcleos da Associação Portuguesa de Apoio à Vítima (APAV) de Lisboa e de Cascais, referiam-se aos agentes das esquadras como *"anjos da guarda"*. Durante os dias que passei com Maria de Fátima, esta narrou-me uma história de agressões, ameaças com arma e perseguições do namorado, um ex-operário da Lisnave, com quem viveu durante cinco anos depois de enviuvar. Com 62 anos fora sempre empregada doméstica. Nascida na região da Nazaré e a viver, na época, em Oeiras, lembrou: *"Eu telefonava para a esquadra e nem cinco minutos eles demoravam a chegar ao local. Diziam para mim: A senhora quer que a gente a acompanhe a qualquer lado? Qualquer coisa que precisar de nós ligue, que estamos sempre à disposição. Eles eram a minha única proteção; o meu escudo"*.

E, no entanto, Paula não fala do ex como um monstro. Não faz uso de um vocabulário sensacionalista. Fala de um ser humano que a persegue, fala das armas que ele carrega e que, mesmo após as revistas policiais, continua a transportar. Fala de como um dos advogados dela foi por ele manipulado e comprado, e de como ficou sem um tostão do património de bens conquistado por ambos durante os vinte e seis anos de matrimónio. Mas o que mais se reflete nela é a confusão moral, a falta de força para fornecer o nexo narrativo reclamado por polícias e juízes para avaliar um grau de violências que consideram difíceis de provar. Como dar sentido a uma história de agressões e de amesquinhamento da qual só se vai ganhando consciência à medida que o tempo passa? Durante as cinco horas em que conversámos, apoiadas na mesa de madeira da sua pequena sala, várias vezes a indaguei: *"Mas disseste isso que me estás a contar no tribunal?*

Mostraste estas imagens, estas fotos?". Respondia que não se lembrava, que provavelmente não o fizera. Confundia-se, cansava-se. Sentia muita vergonha de falar, mesmo depois de ter dito tanto. Tendo nós a intimidade de quem se conheceu na infância, apenas timidamente Paula abordaria um dos lados mais traumáticos de todo o processo, a violência sexual de que era aleatoriamente alvo durante as madrugadas em que Gustavo chegava do trabalho de condução do táxi, embriagado e enfurecido com ela. Em 2014, quando retomámos o contato, já lá não estava o aparato de Gustavo na rua. Mas Paula voltou a insistir que ele continuava a quebrar todas as ordens de afastamento e que os polícias, de novo, nada podiam fazer.

Estatuto de vítima

Por decisão do tribunal, em 2012, Paula receberia o estatuto de vítima e teria acesso a teleassistência em casa, conectando-a à esquadra da PSP em caso de emergência. Contou sempre com a polícia, que chamou vezes sem conta. As vítimas de violência conjugal, de familiares ou conhecidos, são as novas clientes das esquadras. Mudanças substantivas e recentes na lei, fundamentalmente orientada para a violência familiar, tiveram o efeito de atrair a atenção para um velho fenómeno. Campanhas públicas, europeias e nacionais, foram lançadas, cartazes afixados nos transportes públicos, nos serviços e administrações do estado, até em zonas comerciais. Passaram a fazer parte do quotidiano urbano imagens de mulheres de faces seráficas, violentamente agredidas, acompanhadas de slogans *"não se cale"*, *"começa com gritos e acaba em silêncio"*, *"quantas reconciliações acabaram assim?"*

Estamos já bem longe do período pós-ditatorial em Portugal e da legislação de 1982, onde as situações de violência doméstica eram enquadradas pelo crime de *"maus tratos ou sobre-carga de menores e de subordinados ou entre cônjuges"*, não existindo um tipo criminal específico. A aplicação prática da lei manteve-se, durante muitos anos, restrita. Esta punia ações que se davam *"devido a malvadez ou egoísmo"* comprovados, refere o artigo 153.º do Código Penal de 1982. Com a reforma penal de 1995 o crime de maus tratos recebeu nova redação e ordenação. O texto incluiu os maus tratos psíquicos, e não apenas os físicos, e caiu a referência à *"malvadez ou egoísmo"*. O leque de vítimas potenciais foi alargado, ao mesmo tempo que as penas sofreram agravamento. Fazendo depender a atuação policial e judicial das denúncias das vítimas, o crime continuava, apesar disso, a ser pouco ou mal policiado. Ou seja, acreditaram os legisladores que faltava um investimento político e institucional para mudar o cenário. Impossível não notar o grande número de arquivamentos de processos na justiça, muitas vezes por vontade expressa das vítimas, embora com questionável liberdade. O regime de medo e vergonha vigorava.

Em 2000 tudo começou a mudar. Após um debate que envolveu técnicos, associações de mulheres, associações cívicas militantes, o próprio Conselho de Ministros e comissões parlamentares, foi reconstruído o conteúdo do art.º 152.º do Código Penal, com a lei n.º 7/2000. Assim se introduziu o regime legal substantivo e processual da violência doméstica. O crime permaneceria como sendo de *"maus tratos e infração de regras de segurança"*, mas já traduzia uma série de alterações que configuravam situações de violência entre cônjuges. Os progenitores de descendente comum passaram a ser incluídos sob a tutela da lei. Foi prevista a suspensão provisória do processo e uma pena acessória de proibição de contato com a vítima, incluindo a obrigação de afastamento de residência.

É em 2007, com a lei n.º 59/2007 de 4 de setembro, que se dá finalmente a separação entre o crime de "*violência doméstica*" e o crime de "*maus tratos*". O código penal português passa a definir o crime de violência doméstica no art.º 152.º como: "*1 – Quem, de modo reiterado ou não, infligir maus tratos físicos ou psíquicos, incluindo castigos corporais, privações da liberdade e ofensas sexuais: a) Ao cônjuge ou ex-cônjuge; b) A pessoa de outro ou do mesmo sexo com quem o agente mantenha ou tenha mantido uma relação análoga à dos cônjuges, ainda que sem coabitação; c) Ao progenitor de descendente comum em 1.º grau; ou d) A pessoa particularmente indefesa, em razão de idade, deficiência, doença, gravidez ou dependência económica, que com ele coabite. Este crime é punido com pena de prisão de um a cinco anos, se pena mais grave lhe não couber por força de outra disposição legal.*"

A prevenção, a repressão e a redução destes crimes são definidos como objetivos estratégicos e prioritários nas políticas de governo, nomeadamente através de planos desenhados pela Comissão para a Cidadania e Igualdade de Género. Em tese, ser crime público dispensaria a necessidade de denúncia por parte da vítima para acionar o processo policial e judicial. Em 2009 é criada legislação que prevê indemnização às vítimas de crimes violentos, e é estabelecido o regime jurídico aplicável à prevenção da violência doméstica, à proteção e à assistência médica, psicológica e jurídica, por serviços do estado, às vítimas. Esta ficou conhecida como a lei do "*Estatuto da Vítima*", com tradução administrativa num documento fornecido em qualquer momento do processo e sujeito a avaliação (na lei n.º 112/2009 de 16 de setembro).

Com as mudanças jurídicas houve um aumento exponencial das denúncias nas esquadras. Muitos polícias consideram o crime dilatado, não real. O registo das ocorrências leva a que coloquem no grande guarda-chuva da "*violência doméstica*" todo o tipo de conflitualidade que, noutros tempos, seria abarcado noutras classificações policiais como *"maus tratos"*. *"Antes prevenir que remediar"*, disseram-me agentes e chefes na 24ª, habituados que estavam a receber denúncias. A ampliação do estatuto de crime semipúblico a crime público levou a que os agentes nas esquadras concentrassem a sua atenção em dar entrada aos casos como processo-crime, preocupando-se em realizar um auto, e no envio das vítimas para recolha dos exames médicos necessários no Instituto de Medicina Legal ou em hospitais públicos. Ou seja, encararam o seu dever de participar por escrito e menos a iniciativa de intervir *in loco*. Talvez os próprios polícias não esperassem estar tão atentos ao fenómeno e receber tantas chamadas e denúncias como as que vieram a acontecer, ocupando boa parte do quotidiano das esquadras na última década. Mas a verdade é que as vítimas deste tipo de violência são consideradas, pelos agentes nas unidades de atendimento, objeto de intervenção especializada por parte dos agentes da investigação criminal ou do judiciário, deixando para essas instâncias qualquer tipo de averiguação.

Um dia, num encontro em Madrid sobre segurança pública e sociedades plurais em que participei, ouvi um representante oficial do Gabinete de Estudos de Segurança Interior (do Ministério do Interior espanhol) elogiar o modelo de lei da violência doméstica adotado em Portugal. Lamentava que em Espanha a abordagem legal tivesse um pendor feminista e a violência fosse considerada um problema de género. No país vizinho a violência contra as mulheres é encarada como violência estrutural. Jorge Zurita Bayona defendia que tal orientação fere o universalismo que a União Europeia apoiava, fazendo de Espanha uma má aluna nesta matéria. Apesar disso, este mesmo oficial apresentaria um formulário de avaliação de risco realizado para a intervenção policial ao nível das esquadras, que em Portugal nunca vi ser tão bem adotado. Cheguei a conversar com Rui Pereira, que gentilmente me concedeu uma entrevista, em junho de 2012, na sua belíssima sala do Terreiro do Paço. Na época era Ministro da Administração Interna. Ele foi um dos responsáveis pela revisão do código penal português, publicada em 2007. Também ele salientou as qualidades da lei portuguesa, "*temos de proteger as vítimas; a lei está desenhada mais para defender as vítimas do que para punir os agressores*".

Ao lermos a recomendação do conselho de Ministros do Conselho da Europa, de 30/04/2002, verificamos um sentido mais amplo de penalização da violência de género: "*Violência doméstica é todo o acto de violência baseada no género, da qual resultem, ou seja provável que resultem, danos físicos, sexuais e psicológicos ou sofrimento para as mulheres, incluindo ameaças a tais actos, coacção ou privação arbitrária da liberdade, ocorra esse acto na vida pública ou privada. Isto inclui, de entre outros, o seguinte: a) violência na família ou no meio doméstico, incluindo, inter alia, agressão física e mental, abuso emocional e psicológico, violação ou abuso sexual, incesto, violação entre cônjuges, parceiros e coabitantes habituais ou ocasionais, crimes cometidos por causa da honra, mutilação genital e sexual feminina e outras práticas tradicionais prejudiciais às mulheres, tais como os casamentos forçados*".

Noutros contextos e países, como o Brasil, a violência de género foi o principal motor das empreitadas legais e policiais, em boa medida por determinação de grupos feministas e associações de defesa de direitos humanos. O alerta foi dado pelo número de pessoas que todos os anos morriam às mãos de cônjuges ou outros familiares. A *Lei Maria da Penha* e as delegacias de defesa da mulher ganharam forma em diversos estados do país, uma por relação à outra. No Brasil, a ideia de vítima de violência é indissociável do género, no caso às mulheres, o que tem, evidentemente, diversas consequências no acesso mais universal aos serviços policiais e de saúde.

Alguns polícias que conheci em Portugal, agentes, chefes e oficiais, repetiram existir cada vez mais violência contra homens, pancada entre namorados, por vezes do mesmo sexo, e agressão entre idosos. Preveem que este possa vir a ser um fenómeno de violência ainda mais lato. As estatísticas oficiais continuam a definir o delito. Ele é implacavelmente mais dirigido a mulheres. No relatório da DGAI, 85,1% das denunciantes são do sexo feminino; 88,3% dos denunciados são do sexo masculino. Uma dúvida afronta toda a questão. Será a lei de violência doméstica progressista em Portugal por ter um carácter universalista e tratar de qualquer tipo de vitimação, incluindo entre pessoas do mesmo sexo em uniões estáveis ou namoro? Ou provocará, pelo contrário, um movimento conservador pela dificuldade da sua aplicação em tempo útil, em casos de risco e de prevenção de mortes e, não menos fundamental, com um papel tão redutor da participação dos agentes nas esquadras?

Mulheres nas esquadras

Ora subindo ora descendo, todos os anos se anuncia um número elevado de mulheres assassinadas pelos seus cônjuges ou ex-cônjuges ao qual a lei e a criminalização não põem cobro. Dá a impressão de que o país tem um compromisso cultural com esta violência que atinge as mulheres. Basta pensar que foi esse o tema escolhido para fundar o Novo Cinema em Portugal, com o filme *Verdes Anos,* de Paulo Rocha, de 1963. De Janeiro a Novembro de 2013, o Observatório de Mulheres assassinadas da UMAR (União de Mulheres Alternativa e Resposta), contou 33 homicídios e 32 tentativas de homicídio. No ano anterior houve 40 homicídios, 53 tentativas de homicídio, num país de dez milhões de habitantes (quatro em cada mil mulheres).

Uma lei para todos, e recusando um enfoque de género, parece perfeita, porque universalista. Mas é necessário observar a sua aplicação real, tanto no plano da execução judicial quanto policial. As esquadras não acompanharam de forma ativa as imposições legais, pelo menos no prisma organizacional. Em 2000 foram introduzidas salas de apoio à vítima em muitas unidades, um dos orgulhos da PSP. Mas a maior parte destes espaços, pelo menos os que conheci em várias esquadras, não são o local privilegiado do atendimento, que acaba por fazer-se ali mesmo, no balcão de atendimento do graduado de serviço. Essas salas tendem a ser abalroadas de arquivos que ninguém sabe mais onde meter. O número reduzido de mulheres em serviços da patrulha faz com que o direito de ser atendido por uma agente ou chefe dependa de uma chamada para esquadras vizinhas, o que não se revela nada prático no dia a dia da atividade policial. Como certa vez me disse Alves, um chefe de grupo, *"Como garantir um direito se não temos elementos femininos suficientes? Melhor é nem dizer nada. Quem está ao serviço tem de lidar com a emergência"*. É verdade que podemos encontrar algumas agentes nas Equipas de Proximidade e Apoio à Vítima (EPAV) que muitas esquadras adotaram. Mas além de serem restritas, em geral um casal por unidade, um agente e uma agente no período diurno, são os patrulheiros que acorrem às situações de violência mais dramáticas e que *in loco* se encarregam dos problemas; ou os chefes, mais homens que mulheres, que atendem no domínio da esquadra. As EPAV têm um papel mais preventivo, isto é, sinalizam casos e acompanham o seu desenrolar. Mas é preciso dizer que nem sempre os agentes da proximidade e os da velha patrulha dialogam e partilham dados. Os diferentes horários e uma certa inércia do trabalho, afastam-nos, provocando descontinuidades e interrupções num trabalho que, para ser bem-sucedido, requer unidade e convergência na ação.

Poucos negam que as organizações policiais só timidamente incluíram nas suas agendas o apoio e proteção das vítimas, com consequências mais claras na atuação junto dos agressores. As agressões tendem a ser reiteradas e conhecidas dos polícias nas esquadras, *"mas nada podemos fazer"*, repetem com insistência. Quando os entrevistei, poucos foram os polícias, de agentes a oficiais, que se mostraram determinados em apontar soluções policiais práticas para lidar com perseguidores obstinados, com uma eficaz partilha de responsabilidades na situação. Diziam não estar ao seu alcance qualquer tipo de solução, mesmo que provisória, bem ao contrário do que via acontecer em tantos outros domínios da segurança pública. É muito mais fácil e frequente a detenção de um pequeno traficante de drogas, de alguém denunciado por um vigilante de supermercado por ter furtado objetos de escasso valor, um *graffiter* mais provocatório ou um infrator no trânsito que afronte a polícia. Importante é a situação ser justificada em relatório. A forma mais comum de chegar a deter provisoriamente um agressor em ambiente conjugal é quando o próprio agente é agredido. É preciso fazer deslocar a situação de vitimização da mulher para os agentes. Se a coisa não descambar para *"a efetivação de detenção por resistência à autoridade policial e desacato"*, como vai escrito no auto, poucos agentes se atreverão a avançar. Alegam muitas vezes que não têm mandato. Outros defendem não poder ser considerado *"flagrante delito"* o que não se passa à sua frente. Temem a imensidão das idas a tribunal e dos cortes nas suas folgas. Os mais prudentes receiam que um juiz alegue abuso de poder, ou que o agressor faça queixa e a PSP lhes dirija processos de averiguação. Imaginam que uma detenção de um pai de família da classe média os envolva em problemas que possam vir a afetar as suas promoções. Mas o que observei na prática é que os agentes, homens ou mulheres, temem sobretudo pela sua integridade física. Ao contrário do que se pode imaginar, é mais frequente um agente ser agredido por um cônjuge descontrolado, após uma chamada para dirimir uma situação de violência dirigida à mulher, do que por jovens das periferias lisboetas. A lei pode ter mudado, mas a aplicação da lei nem sempre tem correspondência direta com as intenções da primeira. A dinâmica de recuo policial sucessivo face a este tipo de pessoas, configuradas como delinquentes na lei, oferece um poder inusitado aos agressores e a manutenção de vulnerabilidade das vítimas. A verdade é que um homem que bate, durante anos, na mulher e filhos, pode ser um conhecido e respeitado comerciante da área de circunscrição da esquadra. Este pode mesmo chegar a seduzir ou comprar o silêncio dos agentes; ser um juiz ou até mesmo um polícia.

Paula é uma cidadã anónima, como se costuma dizer. Como ela, muitas mulheres, a maioria sem ousar defender qualquer ideologia feminista, têm exposto publicamente feridas e narrativas muito semelhantes à sua. Não há originalidade nisto. Trata-se de um caminho previsível naquele que já foi chamado o tempo das vítimas. Aos 47 anos, a cantora Rita Guerra publicou a sua biografia evidenciando uma vida de maus tratos, resultado de um casamento adolescente com um marido mais velho. Em Fevereiro de 2015, a atriz Maria Zamora seria assassinada por um ex--namorado que não a deixaria seguir o seu rumo. As histórias repetem-se todos os anos nos bastidores da vida social e muitas delas chegam aos *mass media*. Se estivermos com atenção, muitas das histórias relatam, em pano de fundo, denúncias consecutivas à polícia e processos abertos em tribunal que, de uma forma ou outra, não chegam a tempo de proteger a vida das vítimas.

Na tarde de 23 de julho de 2015 telefonei à Paula para saber do andamento do caso. Disse-me que Gustavo havia sido preso. A sua voz evidenciava um grande alívio. A decisão veio em abril desse ano. A sentença fora pronunciada em janeiro mas, como sempre, Gustavo recorreria, na ânsia de se escapar ao veredicto, permanecendo em prisão domiciliária com pulseira eletrónica. A pena foi de quatro anos e oito meses. *"Finalmente a justiça funcionou, mas veio tarde"*, disse-me Paula, *"tivemos sorte que ninguém morreu pelo caminho"*. Sempre pairou e paira essa possibilidade. No tribunal de família (família, um conceito que hoje estranha), Paula aguarda pela resolução de retirada do poder paternal ao pai das filhas. Os atrasos não se devem somente à máquina administrativa mas, também, aos inúmeros recursos e entraves que Gustavo, sempre que pôde, interpôs. À juíza desse tribunal, processou-a. Em 2009, aquando da separação, foi forçado a dar a pensão de alimentos às crianças, mas só o fez durante um ano. Reteve os abonos de família e alegou em tribunal ter muitas dívidas, desaparecendo com o dinheiro. *"Creio que isso o vai penalizar, mas ele é forte e, no último momento, consegue sempre o que quer"* diz, *"mas, pelo menos durante um tempo, eu e as miúdas podemos andar à vontade"*, agora com alta dos psiquiatras e pedopsiquiatras, mas ainda sob a vigilância de rotina a cada seis meses. Lá atrás ouvia-se o bater das ondas da Costa da Caparica. Consegui quase visualizá-las, soltas, alegres.

Esquadra, entre passado e futuro

No atarefado dia 12 de maio de 2004 encontro o Comandante Branco na sua sala da esquadra a folhear o *Regulamento para o serviço das esquadras, postos e subpostos*. Olha na minha direção e, antecipando a minha curiosidade, esclarece: "*Está ultrapassado, mas é dos poucos documentos que nos ajuda a gerir a esquadra. Quer ver?*". Passa-mo para a mão. Leio alguns trechos: "Missão geral da PSP: *A Polícia de Segurança Publica constitui um organismo militarizado dependente do Ministério do Interior e tem por fim assegurar a manutenção da ordem e tranquilidade públicas e a prevenção e repressão da criminalidade.*" (...) "*No desempenho das suas atribuições, compete especialmente à PSP: Reprimir a mendicidade; vigiar os vadios, rufiões, homossexuais, prostitutas, proxenetas, receptadores e, de um modo geral, todos os indivíduos suspeitos ou perigosos*". (...) "*Atribuições das esquadras, postos e subpostos: Enviar ao Comando, nos dias que lhe forem determinados, os relatórios secretos de carácter político-social*". Este regulamento, que foi aprovado por despacho de Sua Ex.ª o Ministro do Interior a 7/12/1961, está perfeitamente inserido na ideologia e práticas do antigo regime, o Estado Novo, que durou entre 1933 e 1974. Parece estranho que um tal preceito possa estar atualmente disponível em todas as esquadras portuguesas. Ele menciona uma natureza militar de comando que foi sendo eliminada desde a década de 90; o sentido de repressão de pessoas que hoje os agentes não devem sequer estereotipar; a participação do policiamento num regime autoritário, violento, persecutório e secretista que, por via de todo um conjunto de normativas e medidas, se visa expurgar da memória dos profissionais de segurança e dos cidadãos de um Estado democrático. Fico a saber que é um documento de acesso restrito a agentes, consultado, ocasionalmente, por comandantes e adjuntos. Mas não deixa de ser paradoxal que uma normativa administrativa atávica se mantenha no tempo das políticas e programas do policiamento de proximidade.

A resistência em reformar por completo este tipo de regulamento, talvez não diga a este texto muito do que perdura do passado no seu funcionamento presente das esquadras. À medida que penetramos mais e mais nestas unidades percebemos que, se não for adotado por um maniento comandante da velha guarda, este tipo de letra administrativa passará, irremediavelmente, para segundo plano. A sua permanência diz mais do impasse institucional da PSP em realizar um efetivo plano de reforma do mapa das esquadras em Portugal, algo que possa vir a oferecer a estas unidades maior autonomia administrativa e operacional, e que obrigaria a colocar na mesa a discussão sobre o mandato da esquadra e o peso efetivo no policiamento preventivo nos dias de hoje. Isidro, que entrevistei em novembro de 2010, é um dos agentes que se coloca desse lado. Agente principal com mais de 10 anos de experiência, reside e trabalha numa esquadra do Comando metropolitano do Porto e é membro militante de um dos maiores sindicatos da PSP. Mas nem por isso se eximiu de me transmitir a sua opinião: *"Por um lado, os sindicatos apostam neste esquema disperso de esquadras, que não é lógico e nem oferece qualidade ao nosso trabalho. Eles estão a pensar no ingresso de um número maior de elementos policiais que garanta as saídas atempadas para aposentação de outros. Por outro lado, eu, e muitos, achamos que a eficácia de um departamento de polícia passa por mobilidade e coesão de meios humanos e materiais. Esquadras maiores, com concentração de várias valências, resultariam melhor e serviriam melhor a população. Mas sem o apoio dos sindicatos, este tipo de reforma não vai acontecer".* Vivemos no tempo da proximidade. Este modelo de policiamento esteve, desde o início, marcado pela ideia de esquadra. Isto fica claro no livro *Esta (Não) é a Minha Polícia,* de Alberto Costa, que alude a uma declaração que o exonerou do cargo de ex-ministro da Administração Interna. Em 2002 faz uma revisão do seu mandato político. Define "proximidade" como uma *"orientação de policiamento que privilegia o conhecimento e a inserção na vida das comunidades, adotada em oposição à anterior estratégia de retração e concentração em superesquadras".* Costa está a referir-se ao modelo de policiamento da legislatura que o precedeu e que ficou oficialmente conhecido por divisões concentradas. Na primeira metade dos anos 90, pela mão de um governo social-democrata, foi experimentada uma gestão do policiamento inspirada nos modelos de resposta operacional à inglesa que começaram a ter lugar na era Thatcher (1979-1990). O novo modelo de policiamento, mais orientado para o cidadão, desde o socialista Costa, teria arquivado na história as referidas "superesquadras". Hoje, em Portugal, modernidade confunde-se com proximidade e proximidade confunde-se com policiamento de esquadra de bairro. O projeto prévio caiu, assim, em desgraça. A disputa política ofuscou a razão operacional. Mesmo assim, progressivamente e ao longo da lentidão dos anos, o debate sobre eficácia policial, associado à concentração e mobilidade de recursos humanos e materiais, começou a ganhar novos adeptos na própria PSP, mesmo que em surdina. O impasse está aí. Os próximos anos apontarão o caminho das esquadras.

É preciso dizer que o policiamento de proximidade, aliado à requalificação das esquadras locais, veio ocupar um espaço que estava vago na sociedade portuguesa, a ambição de ter, de facto, um policiamento mais sensível às necessidades imediatas dos urbanitas. Um policiamento capaz de os fazer esquecer do temor e da distância da polícia alimentados durante o extenso, demasiado extenso, Estado Novo. Como escrevi em várias ocasiões, entre 90 e o final de 2000, lideranças políticas e policiais desejavam afastar do imaginário dos portugueses a imagem de agentes e guardas rígidos, austeros, muitas vezes, ou simplesmente, despreparados. Um texto escrito por José Carlos Gonçalves, um sargento da GNR, e dirigido aos soldados treinados na Escola Prática da GNR, argumentava nesse mesmo sentido: "*Certamente, não saberás o que foi a Guarda há 30 ou 40 anos atrás. Mas já ouviste falar daquele velho episódio em que o menino não come a sopa e a mãe ameaça que chama o guarda. O menino ficava aterrorizado e engolia a sopa toda (...) Dir-vos-ei que, nessa altura, a Guarda não incutia respeito – metia medo! Reinava uma confusão de sentimentos, em que respeito e medo eram sinónimos. (...) Por tudo isto, o modo de actuar da Guarda tem forçosamente de mudar. Não te vou dizer que o modo antigo estava completamente errado. Apenas, já não nos serve nos dias de hoje*". No mesmo tom retórico moralizante o sargento alude ao momento do recrutamento dos soldados, aos quais se dirige na segunda pessoa do singular: "*Mas, afinal, o que pretendias da Guarda? Que fosse eficaz, rápida e, acima de tudo, que te considerasse pessoa (...), QUE COMUNICASSE, que se aproximasse do cidadão*".

Só depois de ter terminado o trabalho de campo mais intensivo nas esquadras, em 2005, tive acesso aos manuais de treino para a implementação dos conceitos nucleares deste modelo de policiamento, onde o texto acima citado foi publicado. Estes foram-me passados por um alto oficial da GNR, que cursara primeiro o mestrado e depois o doutoramento em sociologia no ISCTE-IUL. Convidar-me-ia para oferecer duas aulas aos cadetes em formação na exuberante Academia Militar à Estefânia, onde lecionava essa disciplina, no interior do adaptado Paço da Rainha no sítio da Bemposta, originário de 1693. Percebi que, sensivelmente durante 2000 e 2001, foram ministrados nas próprias esquadras e postos da PSP e GNR vários cursos concebidos e imaginados por um gabinete de formação do MAI. Por onde passei alguns agentes lembravam as aulas que receberam no espaço da sala de aulas. Um monitor desenvolvia os conteúdos com a ajuda de videogramas e exemplos práticos transmitidos por uma televisão colocada num ponto. Com uma linguagem clara, tão objetiva quanto otimista, ensinavam estratégias da proximidade baseadas em três módulos complementares: técnicas de proximidade, parcerias e mediação e comunicação. Várias recomendações e exercícios práticos eram sugeridos no sentido de melhorar a qualidade do serviço policial, a realização de diagnósticos sociais, criar formas de atendimento efetivo e humano ao público, enquanto se promovia o trabalho em equipa e motivação profissional.

Falei com uns poucos agentes desse tempo. Pelo que me contavam, pude imaginar muitos deles sentados de pernas entreabertas e olhar de viés, dando risadas juvenis e seduzindo os colegas do lado numa desconfiança mútua em direção ao que viam e ouviam. Ouvir falar em motivação profissional provocava-os, eles que reclamariam, dali em diante, pela melhoria dos salários e condições de trabalho, achando que não eram ouvidos. Mas sei que muitos deles, e seguramente as agentes femininas, não só abriram espaço para a curiosidade como viriam a incorporar, na prática, vocabulários e técnicas do treino. Embora de modo muito mais restrito e precário, a noção de prevenção, parceria e mediação ganhou adeptos, quando não militantes, em todas as esquadras que visitei. "*O reconhecimento social do meu trabalho é o que fala mais alto*", dir-me-ia o nortenho agente Silva, com 30 anos de idade e seis de polícia, três deles dedicados ao programa Escola

Segura, acrescentando "*mesmo se por vezes sinto falta da adrenalina de uma boa detenção*". Vários agentes concordavam com ele. Talvez fosse nas técnicas de comunicação, sobretudo naquelas internas à organização, que surgiam as maiores dificuldades. Se os agentes se queixavam da distância e verticalidade dos seus superiores, estes acusavam os subalternos mais jovens da falta de empenho, dedicação e espírito de corpo.

Não que não houvesse sabedoria neste plano de mudança do policiamento em Portugal, que testou o aprimoramento do que todos dizem ter de melhorar: a formação contínua e o treino dos profissionais. O problema é que se esperou serem os agentes, apoiados indiretamente pelos seus chefes mais próximos, a efetuarem as boas mudanças imaginadas à distância, nos reais gabinetes do ministério. Ou seja, embora o programa clamasse por uma maior horizontalidade e partilha dos problemas de rotina do policiamento, a instituição teimou em manter uma estrutura profundamente hierárquica. Mudavam os tempos e as vontades de um ou outro comandante jovem, reconhecido pelo seu estilo mais aberto e dialogante. Mantinham-se distâncias e divisões insuperáveis, como se existissem duas polícias: a dos académicos (os oficiais) e a dos de base (os agentes e chefes). Ouvi falar do desmantelamento apressado deste treino específico dos polícias. Custava muito dinheiro treinar 50 mil funcionários do Estado? Como intercalar treino e turnos de trabalho? Teria havido abusos relativos a consórcios contratados para a sua aplicação? Como se converteria uma tal medida, tão invisível, em louros para os governos?

Ainda que sob um manto de contestação por parte das populações, de presidentes das juntas de freguesia, de forças partidárias de esquerda e dos maiores sindicatos da PSP, a reorganização das esquadras tem sido anunciada. Em fevereiro de 2014, foi avisado nos jornais que cinco delas, situadas em bairros sociais, tinham ordem para fechar: Zona J, Bela Vista, Padre Cruz, Horta Nova e Quinta do Cabrinha ficaram sem polícia. Os encerramentos decorreram por fases. Em maio do mesmo ano, dez esquadras desapareceram na capital, algumas no centro da cidade. Se em 2004 um alto oficial da DN me disse que estimava existirem cerca de 300 unidades, em dez anos o número caiu para 200. Outras formas de policiamento, como a investigação criminal e as unidades especiais de polícia, têm vindo a disputar o investimento do MAI. E os recursos são limitados.

A pergunta persiste: Quando um dia se olhar para trás, será a esquadra lembrada como unidade organizacional histórica? Pelo menos a esquadra que descrevi, em pisos térreos de prédios, com algumas inovações mas, essencialmente, no mesmo esquema de sempre. Será que esquadras muito marcadas pela vida de bairro, com um comando burocrático e escassa relação com a mobilidade e as atividades criminais contemporâneas sobreviverão? *"Com poucos agentes, uma esquadra pode ter a funcionar grupos tão reduzidos que perde a sua funcionalidade"*, disse-me Isidro. Pensemos de novo na 24ª esquadra, com um total de 57 efetivos. Tendo em conta os dois comandantes, cinco chefes (um por grupo), os nove agentes nos serviços de proximidade e os três agentes nas diligências e na secretaria (contando ainda com as frequentes baixas médicas, afastamento de efetivos para outros serviços ou em treino), não chegam a existir mais de cinco agentes em cada turno. Os patrulheiros dividem-se como podem, individualmente ou em duplas, e acabam por criar pontos de observação relativamente fixos na dificuldade de conseguir girar, como se diz, por toda a área. O risco é que as esquadras passem a existir para cumprir mínimos operacionais e administrativos. As queixas que ouvi são sempre as mesmas, transmitidas de geração em geração de recrutas. Circulam frases como *"não conseguimos aumentar o efetivo humano", "não se testam novas formas de liderança", "trabalhamos quase sem meios materiais e tecnológicos", "há demasiada burocracia na polícia".* E, no entanto, numa publicação de Frédéric Ocqueteau, editada em 2004, o autor estima que existam 440 polícias por cada 100.000 habitantes, um dos maiores *ratios* dos 15 países da União Europeia, colocando Portugal em terceiro lugar, depois de Itália e de Espanha. Onde estão os polícias? O que sabemos é que, do ponto de vista dos cidadãos, a dispersão em unidades muito pequenas pode tornar inexpressiva a presença física e visível dos polícias nas ruas.

Nos últimos anos, as configurações da atividade policial, como a defesa da soberania nacional e segurança interna, têm vindo a ganhar relevância. Quase três décadas volvidas sobre o fim da guerra fria, voltou a tendência europeia e mundial de apelo à ordem securitária, como reação ao 09/11 e aos avanços da cibercriminalidade. Nesse sentido, Portugal não escapa a sublinhar a tendência de governamentalização e cooperação internacional desta atividade pública. Embora tenha persistido um certo consenso sobre o modelo de policiamento próximo aos cidadãos protagonizado pelas esquadras, a noção do policiamento como serviço público é mais uma exigência popular do que uma política de governo estabilizada. Facto é que o novo projeto de lei orgânica da PSP, que esteve em discussão há vários anos, não evoca o conceito de serviço público na natureza ou missão da PSP. Um polícia facultou-me a leitura do projeto quando estava em curso. A missão primeira diz muito do papel cada vez mais ampliado e algo ilimitado da polícia no futuro: *"Assegurar a legalidade democrática, garantir a segurança interna e o regular exercício dos direitos, liberdades e garantias fundamentais dos cidadãos, nos termos da Constituição e da lei. Em situações de normalidade institucional, a missão da PSP é a decorrente da legislação de segurança interna e, em situações de exceção, é resultante da legislação sobre a defesa nacional e sobre o estado de sítio e de emergência"*. E, todavia, se falarmos com um qualquer operacional, este dirá que a maior distinção entre o seu trabalho e o de uma força militar reside na interação e resolução de problemas quotidianos junto dos cidadãos, fruto de um serviço policial urbano para o qual foi treinado.

Mesmo que algumas apresentem sinais de degradação e outras estejam demasiado próximas entre si na geografia da cidade, as esquadras de polícia obtêm, em geral, a simpatia dos lisboetas, como de resto os portuenses e outros citadinos portugueses. Acostumaram-se a apreciá-las por inércia histórica. Predomina a associação entre sentimentos de segurança e a presença de uma esquadra próxima de casa, mesmo sem uma razão objetiva que a sustente. Como diria Pascal, na sua mais famosa citação, *"o coração tem razões que a própria razão desconhece"*. Mas talvez este afeto histórico pelas esquadras urbanas faça sentido, já que manter os polícias imersos nos bairros que patrulham aumenta a possibilidade de escrutínio social da sua ação. Na verdade, o policiamento é um assunto demasiado sério para ser deixado apenas nas mãos dos polícias, dos burocratas e do Estado. Fiquemos atentos.

Retratos da Fundação

Director de Publicações: António Araújo

Prematuros
João Pedro George

Portugal de perto
Nuno Ferreira

Longe do mar
Paulo Moura

Portugal em ruínas
Gastão de Brito e Silva

Terra firme
José Navarro de Andrade

Na Urgência
Joana Bénard da Costa

Aleluia!
Bruno Vieira Amaral

**Malditos,
histórias de homens e de lobos**
Ricardo J. Rodrigues

Atelier
Diogo Freitas da Costa

A escola
Paulo Chitas

Os últimos marinheiros
Filipa Melo

**A porteira, a *madame*
e outras histórias
de portugueses em França**
Joana Carvalho Fernandes

Esquadra de polícia
Susana Durão

**Telenovela,
Indústria & Cultura, Lda.**
Eduardo Cintra Torres

Alentejo prometido
Henrique Raposo

Conheça todos os projectos da Fundação em www.ffms.pt